TARO'R SUL

Pymtheg o Wasanaethau

MAURICE LOADER

1996
TŶ JOHN PENRI
ABERTAWE

Argraffiad cyntaf—Nadolig 1996

ISBN 1 871799 27 9

Argraffwyd gan Wasg John Penri, Abertawe

CYFLWYNEDIG I'M HWYRION

Dafydd Gwyn

Enfys Gwawr

CYNNWYS

CYNNWYS *(Parhad)*

RHAGAIR

Dymunaf egluro mai ymateb i gais a wneuthum wrth lunio'r gyfrol hon. Fel sawl gweinidog arall, mae'n siwr, pwyswyd arnaf droeon gan rai o ffyddloniaid yr eglwysi, i fynd ati i lunio gwasanaethau y gellir eu defnyddio gan unigolion neu grwpiau o fewn yr eglwysi, er mwyn arwain oedfa pan nad oes modd sicrhau gwasanaeth gweinidog neu bregethwr cynorthwyol.

Wrth ddarllen trwy'r gwasanaethau, fe welir mai traddodiadol, ar y cyfan, yw natur y deunydd. Yn wir, dyna oedd bwriad y gyfrol o'r dechrau. Fe'i lluniais gan feddwl am yr eglwysi hynny y cefais i'r fraint o'u gwasanaethu ar y Sul dros y blynyddoedd, o'r Gogledd i'r De, ac o'r Dwyrain i'r Gorllewin, a rhaid imi gyfaddef na fyddwn i ddim yn disgrifio un o'r eglwysi hynny fel eglwys *avant-garde!*

Mae emynau'r gyfrol yn groestoriad o rai o emynau gorau'r genedl, er bod ambell un yn go ddiweddar. Dyfynnais y pennill cyntaf yn unig, heb nodi'r rhif mewn unrhyw lyfr emynau, gan gredu y bydd gwneud hynny'n ddigon o gyfarwyddyd i alluogi'r sawl sy'n arwain y gwasanaeth i ddod o hyd i'r emyn cyflawn yn un neu ragor o'r llyfrau emynau hynny. Goruwch pob hoffter neu chwaeth personol, fy ngharn dros ddewis unrhyw emyn yw bod yr emyn hwnnw'n cydweddu â thema'r gwasanaeth cyfan. Ond y mae'r sawl sy'n arwain y gwasanaeth yn rhydd i ddewis emyn neu emynau eraill, os perchir yr un egwyddor.

Fel yn achos yr emynau, patrymol hefyd yw natur y gweddïau a gynhwysir yn y gyfrol. Gall y sawl sy'n arwain mewn gweddi ddiwygio'r weddi, os mynn, neu ychwanegu ati yng ngoleuni digwyddiadau'r dydd, neu'r amgylchiadau hynny, boed llon, boed lleddf, sy'n pwyso ar galon a chydwybod yr eglwys neu'r gymuned o'i chwmpas. Gall hyd yn oed y weddi ysgrifenedig, neu'r weddi fenthyg, fod yn fynegiant o brofiad bywiol cynulleidfa gyfan, o'i chymhwyso'n feddylgar ac yn sensitif.

Ymgais i fynegi neges ganolog rhyw Suliau arbennig yn y Flwyddyn Gristnogol, megis Adfent, Pasg a Sulgwyn yw pregethau ac anerchiadau'r gyfrol, a nodir hefyd ambell Sul arall yn y flwyddyn sy'n arwyddocaol yn ein pererindod blynyddol fel Cristnogion, megis Sul Heddwch. Yn nyddiau'r hirlwm, a phregethwyr yn mynd yn brinnach yn flynyddol, dyma'r union Suliau a all gael eu hesgeuluso.

Er bod modd i *un* person ddarllen pob rhan o'r gwasanaethau hyn wrth arwain oedfa, nid dyna oedd fy mwriad wrth eu llunio. Yn fwriadol, fe'u lluniais ar gyfer grwpiau o fewn yr eglwys, ac i'r graddau y bydd hynny'n bosibl, ar gyfer y gynulleidfa gyfan, er mwyn torri ar ormes yr 'un llais' sy'n nodweddu cynifer o'n gwasanaethau. Er enghraifft, gall cynulleidfa gyfan ddarllen y rhannau dewisedig o'r Ysgrythur mewn unrhyw wasanaeth. Byddai hynny, ynddo'i hun, yn foddion gras i sawl cynulleidfa o bobl Dduw. Mae hyd yn oed y pregethau/anerchiadau wedi eu bwriadu ar gyfer mwy nag un llais. Mae hynny'n amlwg, er enghraifft, yn y bregeth ar gyfer y Sul nesaf at Ŵyl Dewi Sant, gan mai ymgais a geir yma i lunio 'pregeth ddeialog'. Ond sylwer hefyd ar y gweddill o'r pregethau/anerchiadau yn y gyfrol. Ceir saib hwnt ac yma yn yr ymresymiad *(dynodir y saib trwy ddefnyddio tair seren***)*. Y bwriad yw rhoi cyfle i berson arall arwain yr ymresymiad gam ymhellach, a thrwy hynny dorri ar flinder yr 'un llais'.

Go brin fod angen imi ychwanegu bod effeithiolrwydd unrhyw wasanaeth yn dibynnu ar baratoi – ac *ym*baratoi – cydwybodol ymlaen-llaw. Mae hynny'n wir am ddarllen emyn, neu ddarn o'r Ysgrythur, neu weddi, neu anerchiad neu bregeth. Ac ni allaf ofyn mwy gan bob un a fydd yn defnyddio'r gwasanaethau hyn na gofyn iddo ym-drafferthu i roi neges pob adran o'r gwasanaeth trwy felin ei bersonoliaeth ei hun.

'Does gennyf ond gweddïo y bydd y gyfrol yn gynorthwyol yn y dasg enfawr o ddwyn neges yr Efengyl i gynulleidfaoedd Cymru. Soniais, mewn un man ynddi, am 'droi sylwedyddion oedfa yn addolwyr'. Ond sut y mae gwneud hynny? Ym mhob adfywiad a ddigwyddodd yn hanes y Ffydd Gristnogol, ac nid lleiaf yn ein canrif ni, onid gwir yw dweud mai effaith y deffroadau hyn, os nad eu hysgogiad, fu dwyn y gynulleidfa, y 'lleygwyr' yng ngwir ystyr y gair, sef 'pobl Dduw', i ganol y gwasanaeth, ac i ganol bywyd Eglwys Iesu Grist?

Dymunaf gydnabod y cymorth a dderbyniais o sawl cyfeiriad wrth baratoi'r gwaith ar gyfer ei gyhoeddi. Bu'r Parchg. Derwyn Morris Jones yn hael â'i amser ac â'i gymell caredig, yn ôl ei arfer graslon, a hebryngodd y llyfr ar ei daith gyda'i gefnogaeth frwd. Dymunaf ddiolch yn ddidwyll i Mr. Victor John am ddarllen trwy'r deipysgrif a'i chywiro, a hefyd i ddarllenydd y Wasg – di-enw i mi, ond cyffelyb ei gymwynas – a welodd bosibiliadau i'r gwaith, ac a roes ei gymeradwyaeth iddo. Hoffwn ddiolch yn fawr i'm teulu am eu hamynedd a'u cefnogaeth hwythau, ac yn arbennig i Meinir, a gadwodd lygad barcud ar lawysgrif a theipysgrif, a chanfod brychau y byddwn i wedi llithro heibio iddynt.

Dymunaf, hefyd, gydnabod yn ddiolchgar fy nyled i Mrs. Lilian Parry-Jones a Mr. Oswyn Evans am eu caniatâd caredig i gyfeirio at eu tad, y diweddar Arthur Evans, Rhydcymerau, yn un o bregethau'r gyfrol. Yn wir, 'dyledwr wyf' i lawer y bu eu hesiampl, boed yn ysgrifenedig, neu ar lafar yn foddion gras imi, ac yn ysbrydiaeth. Ceisiais gydnabod y ffynonellau ysgrifenedig sy'n hysbys imi ar ddechrau'r gyfrol hon, ond y mae eraill, mae'n siwr, a aeth yn angof imi. Ymddiheuraf am unrhyw fethiant anfwriadol yn hyn o beth.

Yn olaf, ond nid yn lleiaf dymunaf ddiolch i Gyngor Llyfrau Cymru am eu cymorth a'u nawdd wrth gyhoeddi'r gyfrol; i Marian Delyth am ddylunio'r clawr, ac i Wasg John Penri, dan ofal ei Chyfarwyddwr, Mr. Elfryn Thomas, a chymorth ei gyd-weithwyr, am ei dwyn i olau dydd.

CYDNABOD

Dymuna'r awdur gydnabod yn ddiolchgar ei ddyled:

(i) I'r awduron canlynol y dyfynnwyd o'u gwaith, ac i'r cyhoeddwyr ym mhob achos:

J.E. Daniel, pregeth, 'Gwaed y Teulu', *Sylfeini Heddwch*, 1944

J. Eirian Davies, 'Salm o Ddiolch', *Cyfrol o Gerddi*, Gwasg Gee, 1985

Christopher Duraisingh, 'Brother Christ', addasiad o 'A Litany of the Disciples of the Servant', John Cordon (gol.), *Morning Noon and Night*, Church Missionary Society, 1976

Islwyn Ffowc Ellis, 'Perthyn' *Arloeswr*, rhif 5, Gaeaf 1959

T.I. Ellis, *Crwydro Maldwyn*, Llyfrau'r Dryw, Llandybie, 1957

Gwyn Erfyl, 'Carol', *Cerddi Gwyn Erfyl*, Gomer, 1971

Donald Evans, 'Nadolig yr Ymgnawdoliad', *O'r Bannau Duon*, Barddas 1987

W.J. Gruffydd, 'Cathl i'r Ysbryd Glân', *Ynys yr Hud a Chaneuon Eraill*, Hughes a'i Fab, 1930

Gwenallt, 'Dewi Sant', *Eples*, Gwasg Gomer, 1960

Dafydd Iwan, 'Mae yn hwyr brynhawn', *Holl Ganeuon Dafydd Iwan*, Lolfa, 1992

C.S. Lewis, *Surprised by Joy*, Harper-Collins, 1955

Janet Morley, 'O God, whose word is fruitless', *Bread of Tomorrow*, (gol.) Christian Aid, 1992

T.E. Nicholas, Soned o'i waith mewn Beibl ym Mhulpud Ebeneser, Dinas Mawddwy

Rebecca Powell, 'Dechrau Blwyddyn', *Oedfa'r Chwiorydd*, Tŷ John Penri, 1983

M. Selyf Roberts, 'Ad Infinitum', Ysgrif yn *Y Genhinen VI.4*, Hydref 1956

W. Leslie Richards, 'Dychwelyd', *Dail yr Hydre*, Christopher Davies, 1968

Elizabeth Templeton, *God's February, A Life of Archie Craig*, BCC/CCBI, 1991

Isaac Thomas, *Trosom Ni*, Tŷ John Penri, 1991

E. Llwyd Williams, 'Nadolig', *Tir Hela*, Llandybie, 1957

Robin O.G. Williams, 'Corbwll Bywyd', ysgrif yn *Lliw Haul*, Gomer, 1980

W. Crwys Williams, 'Melin Trefin', *Cerddi Bardd y Werin,* T. Llew Jones (gol.) Gomer, 1994

Eifion Wyn, 'Cwm Pennant', *Caniadau'r Allt,* Llundain, 1927

(ii) i awduron yr emynau hynny y dyfynnwyd ohonynt o fewn y gyfrol

(iii) i Amgueddfa Werin Cymru a Chwmni Sain am eu recordiad *'Carolau Plygain',* Sain C700N

(iv) i Gymdeithas y Beibl:
Dyfyniadau wedi eu defnyddio a'u haddasu trwy ganiatâd o *Y Beibl Cymraeg Newydd*©
Y Gymdeithas Feiblaidd Frytanaidd a Thramor, 1988

'PWY A SAIF PAN YMDDENGYS?'
Y Sul Cyntaf yn Adfent

Brawddegau

Yn y dydd hwnnw, fe ddywedir,
'Wele, dyma ein Duw ni.
Buom yn disgwyl amdano i'n gwaredu;
Dyma'r Arglwydd y buom yn disgwyl amdano,
Gorfoleddwn a llawenychwn yn ei iachawdwriaeth.'

Emyn

Fy Nuw, fy Nhad, fy Iesu,
  Boed clod i'th enw byth;
Boed dynion yn dy foli
  Fel rhif y bore wlith;
O! na bai gwellt y ddaear
  Oll yn delynau aur,
I ganu i'r hwn a anwyd
  Ym Methlehem gynt o Fair.

Darlleniadau   *William Williams*

  Eseia 40:1, 3-5
  Malachi 3:1-2
  Marc 13:32-37

Emyn

Dragwyddol, Hollalluog Iôr,
  Creawdwr nef a llawr;
O! gwrando ar ein gweddi daer
  Ar ran ein byd yn awr.

Gweddi   *R.J. Derfel*

Mawl sy'n ddyledus i ti, O Dduw, yn Seion;
ac i ti, sy'n gwrando gweddi, y telir adduned.
Atat ti y daw pob dyn â'i gyffes o bechod:
'Y mae ein troseddau yn drech na ni,
ond yr wyt ti'n eu maddau.'

Wrth inni ddyrchafu ein heneidiau atat ti, Arglwydd, boed inni ddeisyf
bendith newydd oddi ar dy law: digoner ninnau â daioni dy dŷ, sef dy
deml sanctaidd.

A ninnau wedi'n dwyn, o'th drugaredd i Dymor yr Adfent, ymunwn gyda'r Eglwys dros wyneb y ddaear i ddisgwyl dy ddyfodiad. Boed inni gyfran yn llawenydd y rhai hynny, gynt, y llewyrchodd dy oleuni arnynt ym Methlehem yn nyfodiad dy uniganedig Fab, Iesu Grist, i'n byd. Bydded oruchaf yn ein calon, yr ŵyl hon, yr awydd i roi gogoniant i ti am dy drugaredd a'th ras yn anfon Gwaredwr i'n byd, a gwaredigaeth i'n calonnau ninnau.

Gwna ninnau, gan hynny, yn bobl ddisgwylgar yn y tymor hwn, gan ymbil arnat am weld yn eglur dy waredigaeth arnom ni, ac ar ein cenedl, gan gymaint ein tlodi a'n hangen o ran ysbryd ac enaid. Trugarha wrthym, Arglwydd, a'th ddatguddio dy hun i ni nes cyffesu ohonom mewn gorfoledd: 'Bûm yn disgwyl a disgwyl wrth yr Arglwydd, ac yna plygodd ataf a gwrando fy nghri'.

Cofia hefyd am y rhai ysig a than faich sy'n disgwyl am gyfiawnder; y rhai a ŵyr drais a rhyfel sy'n disgwyl am heddwch; y rhai newynog sy'n disgwyl am fwyd; y rhai unig a di-gartref sy'n disgwyl am ymgeledd; y rhai di-lais sy'n disgwyl am un a saif o'u plaid; y profedigaethus sy'n disgwyl am ddiddanwch.

Ti, Arglwydd, y mae'r galon yn agored i'th edrychiad, a'i phlygion yn hysbys i ti, na ddwg arnom, yn dy farn, y ddedfryd a haeddwn, ond tosturia wrthym, gan faddau ein gwrthryfel yn dy erbyn. Ac yn niwedd amser, pan ddeui yn dy Fab i roi cwlwm ar dy fwriadau dwyfol, ac i eistedd ar dy orseddfainc, boed lle i ni, trwy dy ras a'th drugaredd, ymhlith dy waredigion.

> O! tyrd, Fab Dafydd, agor Di
> Yn llydain byrth y nef i ni:
> Palmanta'r ffordd sy'n arwain fry,
> A chau holl lwybrau pechod hy.

Gofynnwn hyn yn enw Iesu Grist ein Harglwydd. Amen.

Gweddi'r Arglwydd

Emyn

> Cyn llunio'r byd, cyn lledu'r nefoedd wen,
> Cyn gosod haul, na lloer na sêr uwchben,
> Fe drefnwyd ffordd, yng nghyngor Tri yn Un
> I achub gwael, golledig euog ddyn.
>
> *Pedr Fardd*

Pregeth

Ydych chi'n cofio sut mae'r Hen Destament yn diweddu? Mae Llyfr Malachi yn dwyn neges y Testament i ben gyda nodyn o rybudd. Bydd Duw, meddai, yn ymweld â'i bobl, oherwydd 'dyw ei waith gwaredigol ddim wedi'i gwblhau. 'Yn sydyn fe ddaw'r Arglwydd yr ydych yn ei geisio': dyna neges Malachi. Ond gwae ni pan ddaw! Oherwydd 'fel tân coethydd ac fel sebon golchydd' y daw, i goethi ac i buro'i bobl:

Pwy all ddal dydd ei ddyfodiad
a phwy a saif pan ymddengys?

Yn nhymor yr Adfent, sef y pedwar Sul sy'n arwain at Ŵyl y Nadolig, mae Eglwys Iesu Grist yn gwneud dau beth. Yn gyntaf, mae'n dathlu'r ffaith fod Duw *wedi* dod, *wedi* ymweld â'i fyd. Yn wir, dyna ystyr y gair 'adfent', sef 'dyfodiad'. Ond yn ail, mae'r Eglwys yn pwyntio bys heibio i ddyfodiad Duw yn Iesu Grist at ei ddyfod yn niwedd amser i glymu ynghyd holl linynnau ei fwriadau dwyfol. Mae neges Tymor yr Adfent, felly, yn neges ddeublyg: mae Cristnogion yn gorfoleddu ac yn dathlu oblegid dyfodiad Iesu Grist i'n byd, ond yr un pryd, maen' nhw'n gweddïo'n ddisgwylgar-ddwys: 'Yn wir, tyred, Arglwydd Iesu!'

Yn yr oedfa hon, 'rŷm ni am alw ar bedwar tyst hanesyddol, a fydd yn egluro inni sut yr oedden' nhw wedi gweld dechrau'r stori, sef dyfodiad Iesu Grist i lwyfan hanes. A chyda llaw, mae gen i deimlad fod rhai ohonoch chi'n 'nabod y pedwar tyst yn dda. Eu henwau yw Mathew, Marc, Luc ac Ioan. Ond gan mai Marc aeth ati gyntaf i gofnodi'r Efengyl, 'rŷm ninnau am roi'r flaenoriaeth iddo, a galw arno'n gyntaf un o'r pedwar.

(Daw Marc i'r pulpud i gyflwyno'i dystoliaeth)

'Roeddwn i'n awyddus iawn, wrth ysgrifennu Efengyl, i roi dechreuad da i stori Iesu Grist. 'Doeddwn i ddim am gynnwys prolog, na rhagymadrodd, na chart achau, nac egluro pwy oedd ei dad a'i fam, rhag bod y manion hyn yn tynnu oddi ar yr un bwriad mawr: 'Dechrau Efengyl Iesu Grist, Fab Duw'. A ble arall y byddech chi'n disgwyl imi ddechrau ond gyda Iesu'n ŵr cydnerth deg ar hugain oed, wedi torchi'i lewys yn barod ar gyfer gwaith mawr ei fywyd?

Dyma'r man cychwyn i mi; dyma'r 'Adfent', sef dyfodiad Mab Duw i'n byd yn barod ar gyfer ei waith o gyhoeddi neges y Deyrnas mewn gair a gweithred. Dim ond un consesiwn yr oeddwn i'n barod i'w wneud i'r fusnes yma o 'edrych 'nôl dros ysgwydd'. 'Allwn i ddim gadael i

17

Iesu ddod i'r llwyfan heb i rywun gyhoeddi ei ddyfodiad. A Ioan Fedyddiwr—pwy arall?—ef oedd y cyhoeddwr. Dyna fel 'roeddwn i'n ei weld, yn ei flew camel a'i wregys o groen, ac yn bwyta locustiaid a mêl gwyllt. Dyn yr anialwch oedd Ioan, os bu erioed! 'Roedd fel rhyw Eleias yn codi'i lef o niwl y gorffennol; yn cyhoeddi—ac yna'n diflannu oddi ar y llwyfan, a'i waith ar ben. A dyna *oedd* ei waith; cyhoeddi bod dydd dyfodiad y Deyrnas ar wawrio, ac yna sleifio oddi ar y llwyfan cyn bo'r wawr honno'n torri. Dyna ddechrau'r Efengyl, fel 'rydw' i'n gweld pethau. Ond mae'n siwr y bydd gan Mathew rywbeth i'w ddweud am hynny!

(Daw Mathew i'r pulpud i gyflwyno'i dystiolaeth)

Mae gen i barch i Marc, a dyled fawr iddo. Yn wir, mae'n rhaid imi gyfaddef fy mod i wedi gwneud defnydd helaeth o'i waith wrth lunio fy Efengyl i. Ond 'doeddwn i ddim am greu'r argraff mai ystyr Adfent Iesu Grist oedd iddo ymddangos ar lwyfan byd fel seren wib, heb unrhyw sôn am na theulu nac achau, na chefndir o fath yn y byd. I mi, 'roedd genedigaeth Iesu Grist yn rhan annatod o'i weinidogaeth. Trwy adrodd y stori am ei eni o Fair Wyryf, 'roeddwn i'n awyddus i ddweud fod Iesu wedi dod i'n byd i fod yn wir Fab Duw, ac yn wir ddyn ymhlith dynion.

'Roeddwn i'n benderfynol o ddweud, felly, wrth y rhai fyddai'n darllen fy ngwaith, fy mod i'n gwbl argyhoeddedig fod Stori Geni Iesu'n rhan o'r Efengyl, hefyd. Wedi'r cyfan, y Geni *oedd* yr Adfent, ar ryw ystyr; neu'n hytrach, y Geni oedd y drws y cerddodd ein Gwaredwr drwyddo wrth ddod i'n byd. A pheth arall, 'does gyda ni ddim hawl i dorri Iesu oddi wrth ei gefndir. Iddew oedd Iesu o Nasareth, ac mor falch o'i dras â'r nesaf. A dyna pam y penderfynais i gynnwys coeden deuluol Iesu, a hynny ar ddechrau'r Efengyl yn deg, gan olrhain ei achau'n ôl at Dafydd Frenin, ac at Abraham ein tad ni oll. Dyma'r boncyff praff y tyfodd pren ein Ffydd, fel disgyblion i Iesu Grist, ohono.

A chyda llaw, dyna pam yr adroddais i'r stori braf honno am y sêr-ddewiniaid yn dod o'r dwyrain i dalu gwrogaeth i Waredwr byd. 'Allwn i ddim peidio â chynnwys y cyffyrddiad bach cynnil yna sy'n adrodd fod y Cenedl-ddynion, hyd yn oed, wedi dod at y preseb i dalu gwrogaeth i Waredwr byd!

(Daw Luc i'r pulpud i gyflwyno'i dystiolaeth)

18

Chwarae teg i Mathew am ddwyn y Cenedl-ddynion at grud yr Arglwydd Iesu Grist, mewn gwrogaeth!

Mae'n siwr eich bod chi'n cofio mai Cenedl-ddyn wyf finnau. Un o'r tasgau a osodais i mi fy hun oedd adrodd fel yr ymledodd y neges am Iesu Grist o Jerwsalem, prifddinas yr Iddewon, i Rufain, prifddinas y byd. Dyna yw Llyfr yr Actau: stori dwyn yr Efengyl at y Cenedl-ddynion.

Ond os darllenwch chi'r Efengyl a ysgrifennais i, fe welwch chi fod sawl awgrym yn honno hefyd nad oes gan yr Iddew unrhyw hawlfraint ar Iesu Grist fel Arglwydd. Mae'r Newyddion Da i bawb, yn ddiwahân: gwryw a benyw; isel-radd ar uchel ei dras; Iddew a Chenedl-ddyn.

Fe roddais innau goeden deuluol ar ddechrau'r efengyl, a hynny er mwyn dangos fod Iesu Grist yn perthyn i bob un o blant Duw. O! na, 'doeddwn i ddim am i'r Cenedl-ddyn gael cam, a dyna pam, ar ddiwedd y goeden deuluol yn deg, fe roddais ben ar y mwdwl trwy ychwanegu rhai enwau at restr achau Iesu Grist: 'fab Enos, fab Seth, *fab Adda, fab Duw'*! Mae Iesu Grist yn Arglwydd pob cenedl, nid cenedl yr Iddew yn unig!

(Daw Ioan i'r pulpud i gyflwyno'i dystiolaeth)

Mae'n siwr fod llawer iawn o wirionedd yn yr hyn a ddywedodd y tri ohonoch chi, Marc a Mathew, a thithau Luc. Ond pe baech chi'n mynd ati i adrodd stori, ymhle y byddech chi'n dechrau? Onid mynd yn ôl mor bell ag y medrech chi, wnaech chi, yn ôl i'r dechrau'n deg?

Dyna pam 'roeddwn innau'n awyddus i ddechrau yn y dechrau, ym mynwes Duw ei hun, cyn Ioan Fedyddiwr, cyn Dafydd, cyn Abraham, cyn Adda, cyn y Creu, hyd yn oed. Gwrandewch: 'Yn y dechreuad yr oedd y Gair; yr oedd y Gair gyda Duw, a Duw oedd y Gair.' Dyna ddechrau'r stori, ac i mi, ddechrau'r Efengyl. Ac yna, ymhen canrifoedd lawer, 'daeth y Gair yn gnawd a phreswylio yn ein plith yn llawn gras a gwirionedd; gwelsom ei ogoniant ef, ei ogoniant fel unig Fab yn dod oddi wrth y Tad'.

Llywydd

Mae Ioan yn llygad ei le: mae stori'r Adfent yn mynd yn ôl i'r 'genesis' cyntaf, i'r dechreuadau'n deg. Cyn i ddim byd y gallwn ni ei alw'n 'hanes' ddigwydd, 'roedd Duw wedi rhoi ei fryd ar Adfent ei Fab i lwyfan ein byd pan ddeuai cyflawnder yr amser:

Cyn llunio'r byd, *cyn* lledu'r nefoedd wen,
Cyn gosod haul, na lloer, na sêr uwchben,
Fe drefnwyd ffordd yng nghyngor Tri yn Un
I achub gwael, golledig euog ddyn.

Ydych chi'n cofio, serch hynny, imi ddweud ar ddechrau'r bregeth yma fod Eglwys Iesu Grist yn gwneud *dau* beth yn nhymor yr Adfent? Mae hi'n *dathlu'r* hyn a ddigwyddodd yn nyfodiad Iesu Grist i'n byd. Ond peidiwn ag anghofio'r wedd arall ar dymor yr Adfent: yn ogystal â dathlu, mae'r Eglwys yn *disgwyl* yn weddïgar ddyfodiad Duw yn Iesu Grist ar orwel eithaf hanes i ddwyn ei fwriadau dwyfol i ben.

Mae datgelu cyfrinachau'r Dydd hwnnw'n drech na meidrolion fel ni, er bod sawl un, yn gerddorion, ac yn llenorion ac yn arlunwyr wedi rhoi cynnig arni. Gyda llaw, mae un o'r cynigion hynny yn llyfrau emynau ein cenedl, sef emyn 'ofnadwy' Bardd Nantglyn, a thôn 'ddychrynllyd' Joseph Parry, *'Dies Irae'*, yn gymar iddo. Ie, 'ofnadwy' a 'dychrynllyd' ddywedais i, oherwydd 'lwyddodd neb erioed i ganu'r emyn hwnnw'n iawn heb iddo deimlo iasau ofn yn cerdded ar hyd ei feingefn wrth ganu.

Fe roes Goronwy Owen, y bardd o Fôn, gynnig ar ddisgrifio'r *Dies Irae* hwnnw, hefyd, yn ei *'Gywydd y Farn Fawr'*. Ond y disgrifiad rhyfeddaf un y gwn i amdano yw disgrifiad Ioan y Difinydd, ar ddiwedd y Testament Newydd. Mae Ioan yn tynnu'r llen i'r naill ochr, y llen sy'n cuddio'r sylweddau tragwyddol a'r dirgelion eithaf rhag llygaid pobl bechadurus fel chi a minnau. Dyna arwyddocâd teitl y llyfr: 'Llyfr Datguddiad'. A dim ond cipdrem y mae Ioan yn ei roi inni, a hynny drwy gyfrwng symbolau, fel symbolau breuddwyd. A bydd rhaid inni fodloni ar hynny.

Dyna pam 'rwy'n teimlo fod geiriau Malachi'n gweddu i'r Dydd hwnnw, y *Dies Irae*. 'Pwy a all ddal ei ddyfodiad, a phwy a saif pan ymddengys?' Ond mae'n dda gen i ddweud nad yw'r Dydd hwnnw ddim yn fraw i gyd. Mae tymor yr Adfent yn ein hannog i edrych ymlaen ato yn ddisgwylgar ac yn weddïgar, ni sydd wedi alaru ar bechod, a thrais, a bwystfileiddiwch dyn at gyd-ddyn, a galluoedd y tywyllwch o'n cwmpas. Ond y bobl all ddisgwyl ymlaen ato gyda'r hyder mwyaf yw'r bobl hynny y dywedodd Iesu amdanyn' nhw eu bod nhw'n wynfydedig: yr addfwyn, y trugarogion, y rhai sy'n galaru, y tlodion yn yr ysbryd, y pur o galon, y rhai sy'n newynu ac yn sychedu am

20

gyfiawnder. A wyddoch chi pam? Am y bydd Iesu, yn y Dydd hwnnw, yn sefyll ar orwel eithaf hanes, â'i freichiau ar led, i dderbyn ei braidd bychan i'w goflaid, i weini cyfiawnder a barn i'r rhai sydd wedi disgwyl amdano cyhyd, i ddiheuro'r diniwed o bob camwri, ac i unioni pob cam.

Tua chanol y chwedegau penrhydd, pan oedd pobl wedi alaru ar glywed sôn am 'farwolaeth Duw' a phethau tebyg, fe wahoddwyd Jurgen Moltmann i'r Unol Daleithiau i ddarlithio ar bwnc tra gwahanol: 'Diwinyddiaeth Gobaith'. Erbyn iddo gyrraedd y fan lle'r oedd i draddodi'r ddarlith yn Efrog Newydd, yr oedd yr adeilad yn llawn. Efallai fod a wnelo'r priflythrennau yn y *New York Times* y diwrnod cynt rywbeth â hynny. Oherwydd dyna oedd y pennawd: *'Death of God Theology gives way to a Theology of Hope'*.

'Wyddoch chi beth oedd pegynau ymresymiad Moltmann? Soniodd am ddau ddigwyddiad, y naill o fewn hanes, a'r llall y tu hwnt iddo. Edrych 'nôl a wnaeth Moltmann at y digwyddiad cyntaf. Yr Atgyfodiad oedd hwnnw. Dyma sylfaen gobaith Cristnogion erioed: iddynt weld 'goleuni'r wybodaeth am ogoniant Duw yn wyneb Iesu Grist'. A Christ atgyfodedig oedd hwnnw. Ond edrych ymlaen a wnaeth Moltmann yn ei ddarlith at yr ail ddigwyddiad. Nid rhyw obaith niwlog y deuai popeth yn olau yn y man oedd ail begwn Jurgen Moltmann. Na! nid dim byd mor *'frivolous'* â hynny. Ond yn hytrach, argyhoeddiad cryf awduron y Testament Newydd y bydd rhaid inni, un ac oll, gwrdd â'r Crist sy'n sefyll ar gyrion eithaf hanes – ryw ddydd.

Disgwyl ymlaen yn nhymor yr Adfent? Siwr iawn! Ond gwneud hynny'n weddïgar. A thrwy ryw ragluniaeth mae gennym weddi'r Cristnogion cyntaf hynny, yn esiampl ar ein cyfer. Mae Ioan y Difinydd wedi'i chofnodi ym mamiaith Iesu Grist, yr Aramaeg, ar ddiwedd y Beibl yn deg: *'Marânâ Thâ!'* 'Amen. Tyrd, Arglwydd Iesu!'

Emyn

> O! tyred, Di Emaniwel,
> A datod rwymau Israel,
> Sydd yma'n alltud unig, trist,
> Hyd ddydd datguddiad Iesu Grist:
> O! cân, O! cân,
> Emaniwel ddaw atat ti, O! Israel.
>
> *O'r Lladin (cyf. J. Vernon Lewis)*

Y Fendith

Y mae'r hwn sy'n tystiolaethu i'r pethau hyn yn dweud, 'Yn wir, yr wyf yn dod yn fuan.' Amen. Tyrd, Arglwydd Iesu!

Gras yr Arglwydd Iesu a fyddo gyda phawb.

Amen.

'Y MAE GAIR EIN DUW NI YN SEFYLL HYD BYTH'

Yr Ail Sul yn Adfent: Sul y Beibl

Brawddegau

Fel y mae'r glaw a'r eira yn disgyn o'r nefoedd,
a heb ddychwelyd yno yn dyfrhau'r ddaear,
a gwneud iddi darddu a ffrwythloni,
a rhoi had i'w hau a bara i'w fwyta,
felly y mae fy ngair sy'n dod o'm genau,
ni ddychwel ataf yn ofer,
ond fe wna'r hyn a ddymunaf,
a llwyddo â'm neges.

Emyn

Am Air ein Duw rhown â'n holl fryd
Soniarus fawl trwy'r eang fyd;
Mae'n llusern bur i'n traed, heb goll,
Mae'n llewyrch ar ein llwybrau oll.

Gomer

Darlleniadau

Eseia 40:6-11
2 Pedr 1:16-21

Emyn

Wrth orsedd y Jehofa mawr
Plyged trigolion byd i lawr;
Gwybydded pawb mai Ef sydd Dduw,
Yr Hwn sy'n lladd a gwneud yn fyw.

Isaac Watts (cyf. J. Hughes)

Gweddi

(Dylai'r sawl sy'n arwain mewn gweddi egluro bod disgwyl i'r gynulleidfa ateb y deisyfiad 'Arglwydd, clyw ein llef . . .' gyda'r geiriau: '. . . a **gad i'n cri ddod atat ti.'***)*

23

Arglwydd Dduw ein tadau, a'th ddatguddiodd dy hun drwy'r canrifoedd maith i'th blant, rhown ddiolch am y datguddiad a gafwyd yn dy Air. Cydnabyddwn fod y Gair hwnnw'n fyw a grymus; y mae'n llymach na'r un cleddyf daufiniog, ac yn treiddio hyd at wahaniad yr enaid a'r ysbryd, y cymalau a'r mêr, ac y mae'n barnu bwriadau a meddyliau'r galon.

*Arglwydd clyw ein llef . . . **a gad i'n cri ddod atat ti.***

Diolchwn am lafur cyfieithwyr ac esbonwyr sy'n gwneud y Beibl yn Air ystyrlon ar ein cyfer ni, a gweddïwn am ras i ymateb i'r Efengyl, a'i throsi'n neges berthnasol i'n hoes ninnau.

*Arglwydd, clyw ein llef . . . **a gad i'n cri ddod atat ti.***

Diolchwn fod dy Air yn gallu croesi tir a môr i glymu pobl Dduw ynghyd ym mhob man, gan ein gwneud yn un. Y dydd hwn, una ni â'th bobl dros wyneb y ddaear, trwy'r Gair, a thrwy weddïau dy blant.

*Arglwydd, clyw ein llef . . . **a gad i'n cri ddod atat ti.***

Llawenhawn o wybod fod meddyliau a chalonnau dy blant yn gallu bod yn llestr i'th Air, a phan wyt yn dy ddatguddio dy hun drwyddo nad oes na drysau, na chloeon, na barrau haearn a all ei atal rhag cyrraedd ei nod.

*Arglwydd, clyw ein llef . . . **a gad i'n cri ddod atat ti.***

Llawenhawn, Arglwydd, fod dy Air yn gwmni i'r unig, yn gysur i'r profedigaethus, yn nerth i'r gwan, yn ffon gynhaliaeth i'r methedig, yn ysbardun i'r diog, yn dymchwel y balch, yn ymlid ofn ac yn arfogi'r anfentrus. Llawenhawn i'th Air fod yn iachawdwriaeth i'th blant ar hyd y cenedlaethau. Na ollwng ninnau o afael yr iachawdwriaeth honno, trwy Iesu Grist, y Cyfryngwr.

*Arglwydd, clyw ein llef . . . **a gad i'n cri ddod atat ti.***

Gweddi'r Arglwydd

Emyn

> Mae dy Air yn abl i'n harwain
>   Trwy'r anialwch mawr ymlaen;
> Mae e'n golofn olau eglur,
>   Weithiau o niwl, ac weithiau o dân;
> Mae'n ddi-ble ynddo fe
> Fwy na'r ddaear, fwy na'r ne.

William Williams

Pregeth

Eseia 40:8: 'Y mae'r glaswellt yn crino a'r blodeuyn yn gwywo; ond y mae gair ein Duw ni yn sefyll hyd byth.'

Yn y flwyddyn 1985 bu farw Arthur Evans o Rydcymerau. Sut y mae ei ddisgrifio? Postman gwlad oedd o ran ei alwedigaeth; gŵr y filltir sgwâr, a gwerinwr diwylliedig. Fel yn hanes llawer o bobl eraill yn ei gyfnod, diwylliant un llyfr oedd ganddo, ac yr oedd Arthur Evans yn cynrychioli'r diwylliant hwnnw ar ei orau. Ei Feibl oedd pegwn ei fywyd. Yn ei gapel, lle 'roedd yn flaenor, dyna'r llyfr oedd ar astell y pulpud, yn Air y Bywyd i gynulleidfa. Pan âi ar ei liniau, ymadroddion y Beibl oedd yn britho'i weddïau, ac yn rhoi urddas ar ei Gymraeg. Yr un llyfr oedd maes llafur ei ddosbarth Ysgol Sul, yn ddiffael, a chariai ddysgeidiaeth y Beibl gydag ef yn ei fywyd beunyddiol.

'Roedd Arthur Evans yn cynrychioli ffordd-o-fyw a oedd, bryd hynny, yn prysur ddiflannu, a hawdd deall ei fod yn teimlo'n estron yn ei fro ei hun. Yn wir, mewn un peth, yr oedd yn teilyngu ei alw yn olaf un o'i frîd. Oherwydd 'camp' fawr ei fywyd – er na fynnai ef ddefnyddio'r gair – oedd iddo ddarllen y Beibl drwyddo o glawr i glawr. Ac nid unwaith, na dwywaith y gwnaeth hynny, ond naw-deg-a-thair o weithiau! Ie'r olaf o'i frîd! Mae'n dwyn i gof ddarlun proffwydol ein prif nofelydd o'r hen wreigan o'r Bala y bu farw'r iaith Gymraeg ar ei gwefus.

Bellach, ychydig yng Nghymru sy'n darllen eu Beibl, heb sôn am ei ddarllen o glawr i glawr, er mai dyma'r union lyfr a fowldiodd ein cenedl. Y fath eironi!

Byddai rhai am ddweud nad un llyfr mohono ond cyfrol gyfansawdd yn cynnwys amrywiol fathau o lenyddiaeth, ac na fwriadwyd iddo gael ei ddarllen o glawr i glawr. Ond 'doedd hynny'n mennu dim ar yr hen werinwr o Rydcymerau, oherwydd nid fel cyfrol o lenyddiaeth y darllenai ef ei Feibl, ond fel Gair Duw. A phwy a all warafun hynny iddo?

Ys gwn i a glywodd ef erioed y stori honno am yr hen Rabbi Iddewig yn cwrdd ag aelod o'i synagog ryw ddiwrnod? Dechreuodd yr aelod selog ymffrostio iddo 'fynd trwy' *Y Mishnah* – un o gyfrolau sanctaidd yr Iddew – deirgwaith o glawr i glawr. Ac meddai'r hen Rabbi doeth, 'Frawd, y peth pwysig yw nid sawl gwaith 'rwyt ti wedi bod ''trwy'r *Mishnah*'' ond sawl gwaith mae'r *Mishnah* wedi dod trwot ti!' A gallaf weld yr hen ŵr o Rydcymerau yn ysgwyd ei ben mewn cymeradwyaeth.

*   *   *

Byddai rhywrai'n pledio mai plentyn oes fwy hamddenol oedd Arthur Evans a'i debyg, ac nad oes gan bobl ein hoes ni mo'r amser i ddarllen eu Beibl o glawr i glawr fel y gwnâi rhywrai gynt. Mae'n anodd credu hynny, serch hynny, mewn oes lle y mae cymaint o fri ar hamdden. Efallai nad prinder amser yw'r gwir reswm dros esgeuluso'r Beibl, ond prinder awydd!

Fe geisiodd Leslie Weatherhead, yn ei ddydd, gynorthwyo'r bobl hynny oedd yn dymuno darllen eu Beibl, ond oedd yn eu cael eu hunain dan wasgfa amser oherwydd eu prysurdebau. Fe aeth ati i lunio'r hyn a alwyd ganddo yn *'Busy Man's Bible'*, sef crynhoad o'r Beibl ar gyfer y bobl hynny sy'n dechrau darllen, yn gydwybodol ddigon, trwy Genesis ac Exodus, ond yn cloffi braidd ar ganol darllen Lefiticus, ac yn ildio'r dydd wrth ymgodymu â Numeri. Nid 'crynhoad' oedd gair Weatherhead, serch hynny, ond *'expurgated Bible'*, sef Beibl yr oedd Weatherhead ei hun wedi cymryd siswrn ato, a thorri allan ddarnau oedd yn dramgwydd iddo, megis 'y Salmau mwyaf treisgar eu hysbryd', a'r 'achrestri di-ddiwedd'.

Ydi'r syniad o gymryd siswrn at y Beibl yn apelio atoch chi? Mae'n wir fod ambell adran o'r Beibl yn gallu bod yn dramgwydd ar dro, megis Salm 137, er enghraifft. Ys gwn i ai honno oedd ym meddwl Weatherhead pan soniodd am 'y Salmau mwyaf treisgar eu hysbryd'? Mae'r Salm yn agor yn ysbrydoledig:

Ger afonydd Babilon yr oeddem yn eistedd
ac yn wylo wrth inni gofio am Seion.
Ar yr helyg yno bu inni grogi ein telynau,
oherwydd yno gofynnodd y rhai a'n caethiwai am gân . . .

Mae'r Salm yn gorffen ar nodyn pur wahanol, serch hynny, gan felltithio Babilon am ei thriniaeth o genedl Israel yn y Gaethglud. Mae'r geiriau'n amrwd ac yn farbaraidd:

O ferch Babilon, sy'n distrywio,
gwyn ei fyd a dalo'n ôl i ti
am y cyfan a wnaethost i ni.
Gwyn ei fyd y sawl sy'n cipio dy blant
ac yn eu dryllio yn erbyn y graig.

Mae'n siwr fod y gŵr o Rydcymerau wedi crafu pen uwchben y geiriau hynny. Byddai Weatherhead, mae'n siwr, am gymryd siswrn atyn' nhw, ond ym Meibl cyfan Arthur Evans fe'u cadwyd—yn rhybudd i bob cenedl rhag i'w sêl ddirywio'n ddialedd at genhedloedd eraill o'u cwmpas, heb roi unrhyw ystyriaeth i'r plant diniwed a gaiff eu dryllio ar lwybr y dialedd hwnnw.

Ac a ddiflasodd Arthur Evans, tybed, wrth ddarllen yr achrestri diddiwedd ar ddechrau Llyfr Cyntaf y Cronicl, neu ar ddechrau Efengyl Mathew? Byddai'n demtasiwn ddigon naturiol iddo adael i'w lygad lithro dros ambell baragraff. Neu tybed a fyddai gŵr o Rydcymerau, o bobman, yn gallu synhwyro bod yr achrestri'n bwysig i'r Iddew, fel ag i'r Cymro. Wedi'r cyfan, yr achrestri oedd yn cynorthwyo'r Iddew i leoli cymeriadau'r Beibl yn Stori'r Cadw. A'r rhain sy'n dweud wrth y Cymro, chwedl Islwyn Ffowc Elis:

'rydw i'n perthyn
I'r popeth di-ri' sy'n cydio amdana' i'n dynn
Ac maen' hwythau yn symud a bod ynof fi.

*   *   *

Mae'n ymddangos fod Leslie Weatherhead, er ei ddisgleirdeb fel amddiffynydd y Ffydd, wedi mentro ar lwybr go beryglus wrth awgrymu torri allan o'r Beibl y darnau hynny nad ŷn' nhw ddim yn digwydd bod at ein dant. Beth bynnag oedd yr anawsterau a wynebodd y gŵr o Rydcymerau ar ei bererindod drwy'r Beibl cyfan, mae lle i gredu ei fod ar y llwybr iawn.

Oherwydd llyfr peryglus yw'r Beibl. Gall unrhyw un ohonom wneud eilun ohono. A'r ffordd sicraf i wneud eilun o'r Beibl yw trwy roi ffrâm ein meidroldeb ni o gylch ei ddatguddiad o Dduw, a'i wneud yn ddrych o'n dyheadau ni, yn estyniad o'n darlun ni o Dduw. Ie, peth peryglus yw torri Duw i lawr i'n seis ni, a pheidio â chaniatáu iddo fod yn Dduw. Mae'n beryg nid i un enwad yn unig, ond ar draws yr enwadau; nid i un pwyslais diwinyddol yn unig, ond i bob pwyslais. Gwae'r ddiletantiaeth ddiwinyddol sy'n lloffa ym maes yr Ysgrythurau sanctaidd er mwyn dod o hyd i adnod neu adran sy'n bytresu safbwynt neu'n ategu pwyslais, heb unrhyw ymgais i roi adnod, ac adran a safbwynt fel ei gilydd yng nghlorian y datguddiad cyflawn o Dduw o fewn y Beibl cyfan.

Yr eironi yw fod gennym, heddiw, fwy o gyfryngau — yn gyfieithiadau ac yn esboniadau ac yn offer clyweled — nag a fu erioed i ddwyn Gair Duw o fewn cyrraedd cenedl. Ac er lluosogi'r cyfryngau, mae'n union

27

fel petai moratoriwm wedi digwydd yn hanes darllen y Beibl, a bod mwgwd yn ein hatal rhag canfod ei neges. Nid teyrn gormesol sy'n gyfrifol am hyn; nid gwladwriaeth dreisgar, ond rhywbeth llawn cyn dristed, sef difaterwch a pharlys enaid. Mae'r Gair lawn cymaint mewn cyffion â phe bai wedi ei rwymo wrth bostyn, a'i glawr dan glo.

Dyna dristwch petai Cymru'n trengi â thrysor wrth ei phenelin, a ninnau'n analluog i estyn ein llaw ato, oblegid ein parlys. Y trysor—sylwer—yw nid ein meddiant ni o'r Gair. Mae yng Nghymru faint a fynnoch chi o Feiblau, ond atolwg, pwy sy'n eu darllen? Na, nid methu'r Gair yw'r trysor—ofergoel yw credu hynny; yn hytrach, daw'r trysor i'n rhan pan ganiatawn i'r Gair ein meddiannu ni!

'Roedd Gwilym Bowyer, gynt, yn llawdrwm iawn ar ofergoel cenedl ynghylch y Beibl. Soniodd mewn pregeth, am ŵr yn dod at ddrws Coleg Bala-Bangor, â pharsel dan ei gesail. Eglurodd y dyn iddo fod wrthi'n gwaredu'r celfi ar ôl marwolaeth yr olaf o'r teulu, ac iddo ddod ar draws yr hen Feibl teuluol. ''Fedrem ni ddim meddwl am losgi'r hen Feibl,' meddai wrth y Prifathro, 'ac 'roeddem ni'n meddwl y galle bod iws iddo yn y Coleg!' A chyda'i ffrewyll finiog dyma Gwilym Bowyer yn mynd ati i gystwyo'r ofergoel gyfoes na all weld ei ffordd yn glir i losgi Beibl am y byd, ond sy'n ddigon bodlon ei gadw'n llyfr caeëdig ar aelwyd.

Tybed a fedr yr hen ŵr o Rydcymerau ddysgu gwers i Gymru ar gyfer y ganrif nesaf? Gŵr yn disgwyl am ddiddanwch ei genedl oedd Arthur Evans, gan gwbl gredu mai trwy Air Duw y deuai. Fe welodd, ar ddiwedd ei oes, ffydd cenedl, a chymeriad bro yn edwino ac yn crino, law yn llaw â'i gilydd. Ac fe droes i'w Feibl am angor ac ymgeledd.

'Roedd Eseia Babilon, yntau'n disgwyl am ddiddanwch ei genedl. Wedi profedigaethau'r Gaethglud yr oedd yn argyhoeddedig fod cyfnod newydd ar wawrio. Yr oedd â'i fryd ar godi calon ei bobl:

> Cysurwch, cysurwch, fy mhobl—
> dyna orchymyn ein Duw.

A byrdwn ei gysur oedd fod y genedl yn dod adref. 'Roedd yn ei weld ei hunan fel llef yn gweiddi ar ei genedl i baratoi'r ffordd yng nghanol yr anialwch oedd yn sefyll rhwng gobeithion ei bobl a chyflawni eu breuddwydion:

> Paratowch yn yr anialwch ffordd yr Arglwydd,
> Unionwch yn y diffeithwch briffordd i'n Duw ni.

Cofiwch chi, 'roedd adegau yn hanes Eseia pan oedd yn cael ei lethu gan ymdeimlad o'i annigonolrwydd a'i feidroldeb. Ond fe wyddai'r proffwyd fod ganddo dir o dan ei draed y gallai sefyll arno, er mor ddiymadferth yr oedd yn teimlo:

> Y mae'r glaswellt yn crino, a'r blodeuyn yn gwywo,
> ond y mae gair ein Duw ni yn sefyll hyd byth.

Mewn dyddiau pan ŷm ninnau, fel yr hen ŵr o Rydcymerau, yn teimlo'n alltud yn ein gwlad ein hunain, a'r hen werthoedd yn gandryll wrth ein traed, gweddïwn ninnau ar i'n cenedl ddarganfod y llwybr sy'n arwain tuag adref. A rhown ninnau ein traed ar ddaear gadarn:

> Y mae'r glaswellt yn crino, a'r blodeuyn yn gwywo,
> ond y mae gair ein Duw ni yn sefyll hyd byth.

'Chawn ni mo'n siomi ganddo, a bydd yn ddiddanwch i'n cenedl ac i ninnau. Oherwydd, fel yr ysgrifennodd T.E. Nicholas ar glawr yr hen Feibl ym mhulpud capel Ebeneser, Dinas Mawddwy,

> Deil ei wynfydau ymhob oes heb grino,
> A'i Salmau'n gysur dan y trymaf bwn.
> Triniwch e'n esmwyth. Llyfr y llyfrau yw
> Yn dangos ffordd i farw ac i fyw.
>
> Amen.

Emyn

> Aed grym efengyl Crist
>   Yn nerthol drwy bob gwlad;
> Sain felys i bob clust
>   Fo iachawdwriaeth rad:
> O! cyfod, Haul cyfiawnder mawr,
> Disgleiria'n lân dros ddaear lawr.
>
> *William Lewis*

Y Fendith

> Ac yn awr yr wyf yn eich cyflwyno i Dduw ac i air ei ras, sydd â'r gallu ganddo i'ch adeiladu ac i roi i chwi eich etifeddiaeth ymhlith yr holl rai a sancteiddiwyd. A gras ein Harglwydd Iesu Grist, a chariad Duw, a chymdeithas yr Ysbryd Glân a fyddo gyda ni oll. Amen.

29

'DAETH DUWDOD MEWN BABAN I'N BYD'
Y Trydydd Sul yn Adfent

Brawddegau

Y bobl oedd yn rhodio mewn tywyllwch
a welodd oleuni mawr;
y rhai a fu'n byw mewn gwlad o gaddug dudew
a gafodd lewyrch golau . . .

Canys bachgen a aned i ni, mab a roed i ni,
a bydd yr awdurdod ar ei ysgwydd.
Fe'i gelwir 'Cynghorwr rhyfeddol, Cawr o ryfelwr,
Tad bythol, Tywysog heddychlon'.

Emyn

Rhyfeddu'r wyf, O! Dduw,
Dy ddyfod yn y cnawd,
Rhyfeddod heb ddim diwedd yw
Fod Iesu imi'n frawd.

Dyfnallt

Darllen

Ioan 1: 1-14.

Unawd

(I'r dôn: *'Joy to the World'*)

Cydlawenhawn, fe ddaeth yr Iôr;
Croesawn ein Brenin mawr!
Yng nghalon dyn agorwyd dôr —
O! caned teulu'r llawr;
O! caned, O! caned teulu'r llawr.

Cydlawenhawn, gorseddwyd Iôr;
O! taenwn hyn ar goedd;
Ar fryn a dôl, tros dir a môr
Atseinied llawen floedd;
Atseinied, atseinied llawen floedd.

Ni bydd na chur, na chalon friw,
  Na chlais, na llidus glwy',
Can's daeth y Crist, â'i fendith wiw,
  I ymlid melltith mwy;
  I ymlid, i ymlid melltith mwy.

Gras a gwirionedd Crist o'r nef
  A lywodraetha'r byd,
Dan faner ei gyfiawnder ef,
  A gwyrthiau'r cariad drud;
  A gwyrthiau, a gwyrthiau'r cariad drud.

Isaac Watts (cyfadd.)

Gweddi

Dirion Dad, ti yn unig yw gwrthrych ein haddoliad, gwrandawr cyson ein gweddïau, a gwir destun ein mawl. Derbyn ddefosiwn dy bobl, yma a ledled daear, fel cyfrwng i'th ogoneddu di, a dwyn y neges am Iesu Grist i glyw bro, a chenedl a byd cyfan, fel bo pawb yn cael eu dwyn i adnabyddiaeth lwyrach ohonot ti, ac o'th Fab, Iesu Grist ein Harglwydd.

Ymgysegrwn fel cynulleidfa, ar drothwy'r Nadolig, gan ddeisyf am dy dangnefedd ar ein haelwydydd, ac ym mywyd ein cenedl a'n byd. Ymlid o'n mysg y balch a'r trahaus, y treisiwr a'r gormeswr, a dyro dy gynhaliaeth i'r addfwyn a'r trugarog, a'th nawdd i'r cariadlon a'r tosturiol, O! Dduw ein Tad. Torred gwawr ewyllys da ar ein byd, fel y bydd neges lawen yr Ŵyl yn cyrraedd nid un cenedl, ond pob cenedl, gan sancteiddio nid un diwrnod mewn blwyddyn, ond pob diwrnod er dy ogoniant di.

Llewyrched dy oleuni dwyfol, Arglwydd, ym mannau tywyll ein daear. Deued y goleuni hwnnw'n obaith i'r carcharor trwy farrau tywyll ei gell, i'r claf yng nghanol cystudd ei ystafell, i'r unig yn ei gornel gyfyng, i'r tlawd a'r newynog yng nghanol eu byd llwm, ac i'r profedigaethus a'r trallodus yng nghanol anterth y storm sy'n curo arnynt.

Boed yr Ŵyl sy'n nesáu yn achlysur gobaith i'r ddynolryw, ac yn foddion adnewyddiad i fyd ac eglwys fel ei gilydd. Dathlwn mewn llawenydd ddyfodiad Iesu Grist yn y cnawd i drigo yn ein plith, a gorfoleddwn yn y gwirionedd mai drosom ni y daeth, er mwyn i ninnau gael dod yn ddeiliaid i'w deyrnas. Gwisgodd ein gwendid a'n meidroldeb er mwyn cydymddwyn â'n poen a'n helbul.

'Caed baban bach mewn preseb
Drosom ni . . .'

ac yn hyn, O! Dad, y mae ein gobaith a'n hyder, ein gobaith
am faddeuant a thrugaredd, a'n hyder yn yr iachawdwriaeth sy'n
eiddo i ni, trwy Iesu Grist ein Harglwydd. Ac ef a'n dysgodd i'th gyfarch,
mewn gweddi, gan ddweud,
'Ein Tad . . .   Amen.

Carol

Ganol gaeaf noethlwm
  Cwynai rhewynt oer,
Ffridd a ffrwd mewn cloeon
  Llonydd dan y lloer.
Eira'n drwm o fryn i dref,
  Eira ar dwyn a dôl;
Ganol gaeaf noethlwm
  Oes bell yn ôl.   *Christina Rossetti (cyf. S.B. Jones)*

Pregeth

**Luc 2: 7: 'Ac esgorodd ar ei mab cyntafanedig; a rhwymodd ef mewn
dillad baban.'**

Mae Robin Williams, yn yr ysgrif gyntaf un yn ei gyfrol *'Lliw Haul'*,
yn sôn am y tro hwnnw pan ddaethpwyd â'i ŵyr bach, yn faban tri mis
oed, i fwrw Sul am y waith gyntaf ar aelwyd ei daid a'i nain. Fel hyn
y mae'n disgrifio'r profiad:

> Dyna lle 'roedd y sypyn eiddil tri mis oed yn gorwedd yn fwndel
> diymadferth, heb fedru gofyn yr un gair, nac ateb yr un sill.
> Heb fedru codi. Heb fedru cerdded. Heb fedru ymolchi. Heb
> fedru gwneud na thamaid na llymaid iddo'i hun, na'i ym-
> geleddu'i hun mewn unrhyw ffordd yn y byd. Mi fûm yn syllu
> arno'n hir, hir mewn rhyfeddod, a sylweddoli peth fel hyn, a
> hynny o newydd: cyn belled ag yr oedd y babi yn y cwestiwn,
> yr oedd yn dibynnu'n gyfan gwbl ar ofal oedd yn llwyr y tu
> hwnt i'w grebwyll ef ei hunan. Yn hollol y tu draw i'w ddeall.

Darlun o ddiymadferthedd yw darlun Robin Williams, ac y mae wedi
dewis eglureb benigamp i ddisgrifio'r cyflwr hwnnw. 'Does dim un
darlun huotlach yn y byd i gyd o berson sydd ar drugaredd pawb a

phopeth o'i gwmpas na'r darlun o faban bach. Rhyfedd meddwl, felly, fod yr Efengyl yr ydych chi a minnau'n credu ynddi yn troi o gylch yr union echel honno: echel y Baban Diymadferth. A rhyfeddach fyth yw sylweddoli mai Mab Duw ei hun yw'r Baban hwnnw. Dyma graidd ein Ffydd, a dyma'r hyn yr ydym yn ei ddathlu ar adeg y Nadolig:

'Daeth Duwdod mewn Baban i'n byd'

Pennaf rhyfeddod y Nadolig, felly, yw dyfod Duw i'n byd yn rhith baban bach. 'Roedd Ioan wedi gweld rhyfeddod y digwyddiad hwnnw, a'i groniclo ar ddechrau ei Efengyl: 'A daeth y Gair yn gnawd, a thrigo yn ein plith'. A byth oddi ar hynny mae Cristnogion yr oesau wedi rhoi mynegiant i'w syndod a'u rhyfeddod hwythau. Dyma'r nodyn a drawyd gan Pantycelyn, gynt:

Ymhlith holl ryfeddodau'r nef
Hwn yw y mwyaf un—
Gweld yr anfeidrol ddwyfol Fod
Yn gwisgo natur dyn.

* * *

Y peth cyntaf oll a wnaeth y ddynolryw â Duw-yn-y-cnawd oedd gwisgo dillad am ei noethni. Mair ei fam oedd y gyntaf un i wneud hynny. Ebe Luc, yn ei Efengyl: '. . . esgorodd ar ei mab cyntafanedig; a rhwymodd ef mewn dillad baban.' 'Rhwymodd', sylwer, oherwydd dyna oedd dull y cyfnod hwnnw o ymgeleddu'r baban; rhwymo stribedi o gadachau amdano i'w gadw rhag chwipiadau'r 'rhewynt oer'.

Mae'r broses o wisgo Duw-yn-y-cnawd wedi mynd rhagddi fyth oddi ar hynny. Mae'r cenedlaethau a'r canrifoedd wedi rhwymo cadachau eu hymgeledd a'u defosiwn a'u cred o gylch person y baban Iesu, hyd at ein cyfnod ni. Yn wir, mae'r broses yn mynd rhagddi o hyd, ac mae Cristnogion cyfoes yn rhan ohoni.

Mae modd craffu ar ddechreuadau'r broses ar dudalennau'r Testament Newydd, yn enwedig yng nghofnod y ddwy Efengyl, sef Mathew a Luc, sy'n portreadu babandod Iesu Grist. Dyma yw Storïau Geni Mathew a Luc; ymgais y naill Efengylydd a'r llall i wisgo cadachau eu defosiwn a'u cariad am y baban Iesu.

Mae'r Storïau Geni hyn yn dwyn i gof un o hen arferion Cymru, yn enwedig ymhlith merched ifainc Cymru, sef yr arfer o weithio sampler. Dyna oedd y sampler Cymreig: llafurwaith cariad, a brodwaith defosiwn merched Cymru. A dyna hefyd oedd Storïau Geni'r Efengylau, mewn gwirionedd: sampleri defosiwn Eglwys Iesu Grist i'w Harglwydd, a Mathew a Luc yw'r ddau sydd â'r nodwydd yn eu dwylo celfydd. 'Does dim amheuaeth ynghylch pwy sydd i'w ddodi yng nghanol y sampler. Pwy arall ond Iesu Grist, yn gorwedd mewn preseb, a'r angylion yn hofran o gylch y lle? Gellwch chi fentro nad ŷn' nhw ddim ymhell o'r fan oherwydd eu gwaith nhw yw cydio nef a llawr; hebryngwyr y datguddiad dwyfol i fyd dynion. A fu rhyfeddach dyfais mewn sampler erioed na Mab Duw mewn preseb? Ie, mewn preseb! Os yw diwinyddion yr ugeinfed ganrif wedi mynnu rhoi Iesu Grist yng ngharfan y gwrthodedig a'r difreintiedig, ac yng nghwmni'r 'olaf a'r lleiaf a'r tlotaf', beiwch Mathew a Luc a'u sampleri. Nhw yw'r hyfforddwyr!

O gylch y preseb, mae Mathew wedi rhoi lle anrhydedd i'r sêrddewiniaid hynny a ddygodd eu rhoddion drudfawr mewn gwrogaeth, gan gynrychioli defosiwn y rhai uchel-eu-tras yn yr hen fyd. Ond yn union fel pe bai am achub y blaen ar unrhyw gamargraff, mae Luc yn rhoi lle amlwg yn ei sampler yntau i fugeiliaid gwerinol y maes nad oedd ganddyn' nhw unrhyw rodd i'w chyflwyno ac eithrio'r rhodd bwysicaf oll, sef defosiwn y galon.

Mae un ddyfais athrylithgar yn sampler Luc. Ef a gafodd y syniad braf o frodio nodau cerddoriaeth i mewn i'w sampler, yn union fel pe bai'n benderfynol o bortreadu genedigaeth Gwaredwr ein byd fel y digwyddiad mwyaf llawen a fu erioed. Ac mae cymeriadau'r sampler yn torri allan i ganu: yr angylion a'u *Gloria in Excelsis;* Mair a'i *Magnificat;* Sechareia a'i *Benedictus;* Simeon a'i *Nunc Dimittis.* Bron na ddywedech chi fod y sampler i gyd yn canu, ac yn gwneud hynny i groesawu Gwaredwr Byd.

Nid cofnod moel o hanes yr Enedigaeth ryfeddol yw Storïau Geni Mathew a Luc, felly, ond myfyrdod yr Eglwys mewn dyddiau cynnar ar ffaith yr Ymgnawdoliad, a hynny dros gyfnod o ddwy genhedlaeth. Ym mrodwaith defosiwn y ddau Efengylydd mae'r broses o wisgo cadachau am berson Mab Duw yn ei noethni a'i ddiymadferthedd, eisoes wedi dechrau.

*　　*　　*

Go brin bod angen dweud bod pob cenhedlaeth ddilynol wedi pwytho ei theyrnged arbennig ei hun i mewn i frodwaith cyfansawdd y Ffydd. Ac fe wnaed hynny mewn amrywiol ffyrdd: trwy lunio credoau; trwy adeiladu eglwysi a chadeirlannau a chapeli; trwy ysgrifennu cyfrolau diwinyddol; trwy gerddoriaeth gysegredig; trwy arluniaeth gain. Mewn mil ac un o ffyrdd 'rŷm ninnau wedi bod â rhan yn y broses o rwymo cadachau ein hymgeledd a'n defosiwn am berson y baban Iesu.

Cofiwch chi, 'dwy'i ddim yn siwr bod cadachau ein defosiwn wedi bod yn gymwynas â pherson Iesu Grist bob amser. Yn wir, byddwn i am awgrymu bod y fath beth yn bosibl â defosiwn 'cyfeiliornus'!

'Rŷm ni i gyd yn gyfarwydd, er enghraifft, â chlywed pobl yn sôn am eu teimlad o anniddigrwydd wrth gerdded i mewn i eglwys wedi ei goreuro'n gelfydd ac ysblennydd o ganol y tlodi a'r llwydni sy'n ei hamgylchynu. Mae rhywbeth yn y gwrthgyferbyniad sydyn sy'n gwneud i'r ymwelydd deimlo'n anghysurus. Pan fo defosiwn crefyddol yn cael mynegiant ar draul dibristod o angen cyd-ddyn, mae'n bryd i rywun weiddi 'Cyfeiliorn!'

Beth am enghraifft arall? Pe baem ni'n mynd ar bererindod i Fethlehem y Nadolig hwn, ac yn ymweld â mangre geni Iesu Grist, nid preseb amrwd a welem mewn ogof neu feudy, ond un o eglwysi enwocaf y Ffydd Gristnogol, sef Eglwys y Geni, a adeiladwyd yn ôl yn y bedwaredd ganrif gan yr Ymherodr Cystennin fel un o'i gyfraniadau sylweddol ef i frodwaith y Ffydd. Fe'i codwyd ar safle hen ogof, sef man tybiedig geni Iesu Grist. Ond fe glywais fwy nag un person a ymwelodd â'r fan yn cwyno fod y bensaernïaeth addurnedig yn anghydnaws â'r darlun o fan geni Iesu Grist a oedd wedi'i argraffu ar eu dychymyg.

Fe ellir dadlau mai mater o farn yw hyn, neu fater o chwaeth. Yn wir, mae cerydd ambell Iddew yn dal i seinio yn fy nghlust — cerydd arnom ni Gristnogion oherwydd ein bod ni am droi llecynnau cysegredig gwlad Iesu Grist yn 'time capsules', neu amgueddfeydd, yn union fel 'roedden' nhw yn nyddiau Iesu. 'Onid oes hawl gan ein cenedl ninnau i gerdded i gyfnod newydd, fel unrhyw genedl arall?' — dyna'u cwestiwn treiddgar.

Gall ein defosiwn fod yn gyfeiliornus mewn ystyr arall, llawer mwy difrifol, serch hynny. Oherwydd gallwn wneud 'time capsule' o'r darlun o'r baban Iesu yn ei grud! Mae llawer ohonom yn gwrthod caniatáu i Iesu ddod allan o'i gadachau, ac 'rŷm ni am ei gadw'n garcharor yn ei breseb. Dyna ble 'roedd pan glywsom ni amdano gyntaf erioed yn nrama Nadolig y plant, ac er ein bod ni wedi tyfu allan o'n hadenydd angylion a'n dillad bugail a'n coronau brenhinol, 'rŷm ni'n benderfynol o adael Iesu yno, yng ngwellt y preseb, yn gorwedd yn ei gadachau.

35

'Chafodd Iesu Grist erioed gyfle gan lawer ohonom i dyfu i'w lawn faintioli, yn ŵr cydnerth deg ar hugain oed. 'Roesom ni erioed gyfle iddo i'n herio ni i fod yn ddisgyblion iddo, nac i gyhoeddi neges radical ei Bregeth ar y Mynydd; 'welsom ni erioed mohono ym mherson un o'r rhai lleiaf hynny sy'n frodyr ac yn chwiorydd iddo, heb sôn am ei weld yn hongian ar groes dros ein pechodau, ac yn atgyfodi yn ein plith yn Grist byw. Oherwydd mae Iesu'n dal yn ei gadachau, yn gorwedd mewn preseb!

Fel yn hanes llawer eraill o brofiadau bywyd, mae'r bardd wedi gweld hyn yn eglur. Os darllenwch chi gerddi Nadolig beirdd Cymru, fe welwch eu bod nhw'n ymagweddu at yr Ŵyl mewn dwy ffordd sydd am y pegwn â'i gilydd. Ar y naill law, mae'n nhw'n echrydu wrth feddwl am y modd 'rŷm ni wedi gwyrdroi ystyr yr Ŵyl, a llurgunio neges y Geni. Dyna gwyn Llwyd Williams, yn un o'i gerddi:

> Cleddwch yr ŵyl, nid yw ond ysgerbwd,
> Esgyrn y ginio, ysbwriel y wledd.
> Teflwch i'r baban yr hosan deganau
> A pheidiwch â sôn am aur, thus a myrr . . .
>
> Cleddwch yr ŵyl, eiddo Mamon yw mwyach,
> Mamon a masnach, miri a medd.
> Gwisgasoch yr Iesu yng nghlogyn Santa
> A phlannu'n ddiwreiddiau y goeden a'r tinsel
> Lle gynt y bu'r Groes.

Bydd pob Cristion meddylgar yn deall protest Llwyd Williams. Ond ar waethaf pob gwyrdroi a llurgunio, fe wyddom ni mai'r dasg sy'n ein haros, y Nadolig hwn, fel erioed, yw twrio trwy'r cadachau at y gwirionedd rhyfeddol sydd ynghudd oddi tanyn' nhw: 'Daeth Duwdod mewn Baban i'n byd'.

Mae'r beirdd, mae'n dda gen i ddweud, wedi cael gweledigaeth o'r gwirionedd hwnnw, hefyd. Dyma Gwyn Erfyl yn dal y rhyfeddod o flaen ein llygaid:

> Cofiwn Simeon, hen batriarch llwm,
> Yn canu gorfoledd ei henaint i Hwn,
> Ac Anna unig yng ngwyll ei chell

Yn gweled Gwaredwr y gobaith gwell.
Mynnwn anadlu Ei newydd hoen
A syndod Ei seren tros erwau'r boen.

Gorchfygwn hen fyd sy'n dragwyddol drist
A synnwn weld Cymru'n croesawu'r Crist.
Daeth mewn cadachau, aeth mewn drain,
Ond heno, a'n hoes dan y bicell fain,
Seiniwn ei salmau, dyblwn y gân,
Mae hedd di-gledd yn Ei ddwylo glân.

Amen.

Emyn

Pob seraff, pob sant,
Hynafgwyr a phlant,
Gogoniant a ddodant i Dduw
Fel tyrfa gytûn,
Yn beraidd bob un,
Am Geidwad o forwyn yn fyw.

Edward Jones, Maes-y-plwm

Y Fendith

Pan ymdaena cysgod hwyrnos
Dros y bryn, a'r maes a'r lli',
Iesu'r gwir oleuni, aros
Yn y caddug gyda ni.
A gras ein Harglwydd Iesu Grist, a chariad Duw, a chymdeithas yr
Ysbryd Glân a fyddo gyda ni. Amen.

'COD, LLEWYRCHA, OHERWYDD DAETH DY OLEUNI'

Y Pedwerydd Sul yn Adfent

Brawddegau

Cod, llewyrcha,
oherwydd daeth dy oleuni;
llewyrchodd gogoniant yr Arglwydd arnat.
Er bod tywyllwch yn gorchuddio'r ddaear,
a'r fagddu dros y bobloedd,
bydd yr Arglwydd yn llewyrchu arnat ti,
a gwelir ei ogoniant arnat.
Fe ddaw'r cenhedloedd at dy oleuni.
a brenhinoedd at ddisgleirdeb dy wawr.

Emyn

Wele, cawsom y Meseia,
  Cyfaill gwerthfawroca' 'rioed;
Darfu i Moses a'r proffwydi
  Ddweud amdano cyn ei ddod:
Iesu yw, gwir Fab Duw,
Ffrind a Phrynwr dynol-ryw.

Dafydd Jones

Gweddi *(Wrth alw'r gynulleidfa i weddïo, dylid gwahodd ymateb i'r weddi. Pan ddywed yr arweinydd: 'Am eni Iesu Grist i'n byd . . .', dyweded y gynulleidfa: '. . . rhown glod a mawl i ti.')*

Ein Tad, a'th ddatguddiaist dy hun ar hyd y canrifoedd maith mewn llawer dull a llawer modd, dathlwn heddiw, yng Ngŵyl y Geni, i ti dy ddatguddio dy hun yng nghyflawnder yr amser mewn Mab.

*Am eni Iesu Grist i'n byd . . . **rhown glod a mawl i ti.***

Daethost atom yn Iesu Grist i wisgo ein cnawd, ac i rannu ein trueni. Canys nid archoffeiriad heb allu cyd-ddioddef â'n gwendidau sydd gennym, ond un sydd wedi ei brofi ym mhob peth yr un modd â ni.

*Am eni Iesu Grist i'n byd . . . **rhown glod a mawl i ti.***

38

Fe'i ganed mewn preseb, am nad oedd lle yn y llety. Gwyddai beth oedd bod yn dlawd, a chael ei wrthod gan ddynion. Dysgodd wersi caled yn ysgol profiad, a soniodd amdano'i hun fel un na feddai le i roi ei ben i lawr, fel llawer yn ein byd ninnau.

Am eni Iesu Grist i'n byd . . . **rhown glod a mawl i ti.**
Fe'i ganed ar adeg cyfrifiad, a drefnwyd gan awdurdod estron. Trigai mewn cenedl fach a wybu ormes Ymerodraeth fawr. Bu ef a'i rieni yn ffoaduriaid rhag dichell Herod, a chri 'Rachel yn wylo am ei phlant' yn atseinio yn eu clustiau. Am hynny, y mae'n un â'r rhai sy'n cael eu gormesu heddiw, ac sydd ar drugaredd dynion.

Am eni Iesu Grist i'n byd . . . **rhown glod a mawl i ti.**
Fe'i ganed yn Waredwr i blant y llawr; daeth i'n byd i fyw ac i farw drosom ni, i fod yn foddion puredigaeth dros ein pechodau.

Am eni Iesu Grist i'n byd . . . **rhown glod a mawl i ti.**

Amen.

Carol

Engyl glân o fro'r gogoniant
  Hedant, canant yn gytûn:
Clywch eu llawen gân uwch Bethlem,
  'Heddiw ganwyd Ceidwad dyn'.
Dewch, addolwn, cyd-addolwn
  Faban Mair sy'n wir Fab Duw,
Dewch, addolwn, cyd-addolwn
  Iesu, Ceidwad dynol-ryw.

Hawen

Darlleniadau

Eseia 7:10-14
Mathew 1:18-23

Llefarydd

I lawer iawn ohonom, un o gyfryngau bendith y Nadolig, bob blwyddyn, yw'r oedfa garolau o Goleg y Brenin, Caergrawnt. Yn wir, daw dirgelwch cyfrin yr Ŵyl yn brofiad inni pan glywn lais trebl y bachgen ifanc yn adleisio yn ei burdeb trwy eangder y capel. Y garol a genir gyntaf yn yr oedfa honno, yn draddodiadol, yw *'Once in royal David's city'*, o waith Cecil Frances Alexander.

39

Adroddir mai'r hyn a gymhellodd yr emynyddes i gyfansoddi rhai o'i hemynau enwocaf oedd cwyn bachgen ifanc (yr oedd hi'n digwydd bod yn fam-fedydd iddo) nad oedd yn deall rhai o ddatganiadau'r *Catechism*. Beth, er enghraifft, oedd ystyr y datganiad fod Iesu 'wedi ei eni o Fair Wyryf'? I geisio'i gynorthwyo i'w ddeall yn well, cyfansoddodd C.F. Alexander y garol hon, a ddisgrifiwyd rywdro fel 'cân dwyllodrus o syml':

> Once in royal David's city
> Stood a lowly cattle shed,
> Where a mother laid her Baby
> In a manger for his bed;
> Mary was that Mother mild,
> Jesus Christ her little child.

Gellid dadlau nad yw'r geiriau'n *egluro* dirgelwch y cymal o'r *Catechism*. Mae hynny'n wir, ond efallai mai angen pennaf pob un ohonom yw nid datrys y dirgelwch, ond plygu a phenglinio ger ei fron, fel y gweddai i feidrolion fel ni yng ngŵydd y dirgelwch eithaf. Yn y cyfamser, rhoddwyd cân ar wefus plentyn – a llawer eraill ohonom – i aros y dydd 'pan ddatguddir pethau cudd'.

Carol

> Draw yn ninas Dafydd Frenin,
>   Yn y beudy isel, gwael,
> Dodai mam un bach mewn preseb,
>   Nid oedd llety gwell i'w gael;
> Mair Fendigaid oedd y fam,
> Iesu'r plentyn bach di-nam.
>
>   *C.F. Alexander (efel. H.W. Jones)*

Darlleniad

> Luc 1:46-55

Llefarydd

Go brin y gall neb ddarllen Storïau Geni Mathew a Luc heb sylweddoli nad i fyd hud a lledrith y ganwyd ein Gwaredwr, ond i fyd real iawn. 'Does dim angen i neb ddarllen *'politics'* i mewn i'r stori, oherwydd mae'r *'politics'* yno'n barod, yng nghyfrifiad Cyrenius ac yn nhrais Herod, er enghraifft.

Pan aeth Mair ati i ddatgan ei gobeithion a'i breuddwydion am y plentyn oedd yn llamu yn ei chroth, mae'r emyn a roes Luc ar ei gwefusau yn darllen fel maniffesto ar gyfer chwyldro crefyddol a chymdeithasol. Mae'n darlunio Duw yn dymchwel trefn cymdeithas, a throi ei gwerthoedd a'i safleoedd â'u hwyneb i waered:

Gwnaeth rymuster â'i fraich,
gwasgarodd ddynion balch eu calon;
tynnodd dywysogion oddi ar eu gorseddau,
a dyrchafodd y rhai distadl;
llwythodd y newynog â rhoddion,
ac anfonodd y cyfoethogion ymaith yn waglaw.

I fyd real iawn, byd digon hagr mewn taer angen am gael ei ddiwygio, y ganed Iesu Grist. 'Dyw hi ddim yn un rhyfeddod felly, fod llawer un ohonom yn dyheu am gael dathlu'r Nadolig 'real'. Yn ei gerdd 'Nadolig yr Ymgnawdoliad' mae Donald Evans yn adrodd am y profiad hwnnw, ac fel y bu iddo, un Nadolig arbennig, adael cysuron gwres canolog ei aelwyd, a mynd am dro i gyfeiriad hen feudy Blaeneinion, ym mro ei febyd, 'a'i socedau syn yn gwgu'n y gwynt'.

Yno, mae'n ail-fyw yn ei ddychymyg rywbeth o realaeth profiad y Nadolig cyntaf pan aned Iesu Grist i'n byd:

Mewn cornel fel y cornel drafftiog hwn
o hen wair a grawn, yr esgorwyd ar Grist,
liw hwyr, ar nos fel hon.

'Roedd yno Wyry'n ymglymu'n ei gloes
a'i gwaed a'i dŵr ar y gwellt
fel y gwthiai'r Bywyd yn ddychrynllyd o'i chroth.

Mae'r bardd yn taro tant ym mhrofiad llawer ohonom ni, ac yn dweud yn eglur rywbeth y mae llawer yn ei deimlo, ond heb fedru'i fynegi cystal. Naw wfft i'r haenau trwchus o baganiaeth a sentimentaleiddiwch sy'n cuddio'r Nadolig rhagom, 'y lili heb y drain a'r ysgall', chwedl Gwenallt gynt. Bob Nadolig, fe'n cawn ein hunain yn twrio trwy'r haenau hyn i gyd — dathliadau'r Satwrnalia; y celyn a'r uchelwydd paganaidd eu cysylltiadau; cardiau a choeden Nadolig Oes Fictoria; masnach, a chyfeddach a ffair Siôn Corn — heb sôn am Siôn Barli-corn — er mwyn dod o hyd i ystyr Gŵyl Ymgnawdoliad y Duwdod yn ei Fab, Iesu Grist:

Wele Dduwdod yn y cnawd,
Dwyfol Fab i ddyn yn Frawd.

41

Carol

Clywch lu'r nef yn seinio'n un
Henffych eni Ceidwad dyn:
Heddwch sydd rhwng nef a llawr,
Duw a dyn sy'n un yn awr.
Dewch, bob cenedl is y rhod,
Unwch â'r angylaidd glod;
Bloeddiwch oll â llawen drem,
Ganwyd Crist ym Methlehem!
  Clywch lu'r nef yn seinio'n un,
  Henffych eni Ceidwad dyn!

Charles Wesley (cyf. Elis Wyn o Wyrfai)

Darlleniad

Luc 2:1-7

Llefarydd

Mae gan Gymru ei thraddodiad arbennig ei hun o ganu carolau, sef carolau'r 'plygain', hen air Cymraeg yn golygu'n wreiddiol *'caniad y ceiliog'* am fod y carolau hyn yn dyddio o'r cyfnod pan gynhelid y blygain yn oriau mân y bore. Erbyn hyn, yn yr hwyrnos y cynhelir y gwasanaeth plygain amlaf, a hynny'n arbennig o fewn ardaloedd gwledig Gogledd Powys a'r cyffiniau. Meibion yw'r cantorion fynychaf, a phrif destun eu cân yw moli Gŵyl y Geni. Ond ar dro, ceir yn y carolau grynodeb o hanes bywyd Iesu Grist. Ac nid ydynt yn swil o gyffwrdd ag athrawiaethau mawr y Ffydd, a chynnig ambell foeswers a chyngor i gynulleidfa. Ar ei orau mae canu'r blygain yn gallu codi i dir uchel iawn. Beth am y ddau bennill gafaelgar yma?

Edrychwn o'n hamgylch—pwy greodd y rhain:
Haul, lloer, sêr a daear, sy'n gwenu mor gain?
Chwyrnellant drwy'r ceugant (= *'gofod'*) ynghrog wrth ei air
Ac Yntau yn pwyso ar fynwes fwyn Mair.

Y bachgen a aned yn rhychwant o hyd,
Y Mab sydd â'i rychwant yn mesur y byd!
Yn Faban bach egwan ar fronnau ei fam,
Ac eto yn cynnal y bydoedd heb nam.

(Os yn bosibl, dylid chwarae tâp o'r garol yn y gwasanaeth, er mwyn i'r gynulleidfa gael blas o'r canu plygain. Y garol y dyfynnwyd ohoni

yw 'Teg wawriodd boreuddydd', Ochr B, rhif 3. Canwyd y garol gan Barti Gad, a chyhoeddwyd y tâp gan Amgueddfa Werin Cymru dan label Cwmni Sain, rhif C700 N.).

Carol

Ar gyfer heddiw'r bore'n faban bach, yn faban bach,
Y ganwyd gwreiddyn Jesse'n faban bach;
Y Cadarn ddaeth o Bosra,
Y Deddfwr gynt ar Seina,
Yr Iawn gaed ar Galfaria'n faban bach, yn faban bach,
Yn sugno bron Maria'n faban bach.

Eos Iâl

Darlleniad
Luc 2:8-16

Llefarydd

Lancelot Andrewes oedd un o bregethwyr mawr Eglwys Loegr yn ei ddydd. Yn un o'i bregethau Nadolig cyfeiriodd mewn syndod a rhyfeddod at 'y Gair tragwyddol na allai yngan gair' yn gorwedd ym Methlehem.

Yno y mae'n gorwedd, Arglwydd y Gogoniant yn amddifad o bob gogoniant. Yn lle palas, stabal dlawd; yn lle crud brenhinol, preseb anifail; yn lle gobennydd, cwlwm o wair; heb lenni ac eithrio llwch a gwe-pry-cop; heb neb i weini, ond ymysg yr anifeiliaid.

Yr oedd awdur arall o Sais, gŵr adnabyddus, yn byw yn yr ail ganrif ar bymtheg, yntau wedi cyfeirio at ryfeddod yr Ymgnawdoliad, gan gael ei gymell i ysgrifennu'r geiriau hyn:

Dyma ddyn a aned mewn pentref dinod, yn blentyn i fam werinol. Gweithiai yn siop y saer nes cyrraedd y deg ar hugain oed, ac yna, am dair blynedd, bu'n bregethwr teithiol. Nid oedd ganddo unrhyw dystlythyrau i'w dangos, ond yr hyn ydoedd. Ac yntau eto'n ŵr ifanc, troes y farn gyhoeddus yn ei erbyn. Dianc a'i adael a wnaeth ei gyfeillion — y Deuddeg a oedd wedi dysgu cymaint oddi wrtho, ac wedi addo eu teyrngarwch llwyr iddo. Aeth trwy esgus o brawf mewn llys; fe'i hoeliwyd ar groes rhwng dau leidr; pan fu farw fe'i cymerwyd i lawr a'i osod mewn bedd benthyg trwy garedigrwydd ffrind tosturiol.

43

Eto, nid wyf ymhell o'r gwir pan haeraf nad yw'r holl fyddinoedd a orymdeithiodd erioed, na'r holl seneddau a fu mewn eisteddiad erioed, na'r holl frenhinoedd a fu'n llywodraethu erioed, o'u rhoi gyda'i gilydd, wedi effeithio ar fywydau dynion ar y ddaear hon i'r un graddau ag a wnaeth yr un bywyd hwn!

Carol

> O! deuwch, ffyddloniaid,
> Oll dan orfoleddu,
> O! deuwch, O! deuwch i Fethlehem dref:
> Wele, fe anwyd
> Brenin yr angylion:
> O! deuwch ac addolwn,
> O! deuwch ac addolwn,
> O! deuwch ac addolwn Grist o'r nef!

Anhysbys

Y Fendith

Deued tangnefedd ac ewyllys da i'n byd, ac i'n plith ninnau y Nadolig hwn, a boed llawenydd yr Ŵyl yn eiddo inni i gyd.

> I Dad y trugareddau i gyd
> Rhown foliant holl drigolion byd:
> Llu'r nef, moliennwch ef ar gân,
> Y Tad, a'r Mab a'r Ysbryd Glân.

Amen.

'Y MAE FY AMSERAU YN DY LAW DI'
Y Calan

Gweddi

Ti yr hwn y mae holl amserau ein bywyd yn dy law, tywys ni drwy gydol yr oedfa hon i ryngu dy fodd, ac i roi pob clod a gogoniant i ti ar ddechrau blwyddyn newydd, yn enw Iesu Grist, ein Harglwydd a'n Gwaredwr. Amen.

Emyn

O! am ddechrau blwyddyn newydd
Gyda Duw, mewn mawl a chân,
Doed yn helaeth, helaeth arnom
Ddylanwadau'r Ysbryd Glân:
Bydded hon ymysg blynyddoedd
Deau law yr uchel Dduw;
Doed yr anadl ar y dyffryn
Nes bod myrdd o'r meirw'n fyw.

Joseph Evans

Darlleniadau

Salm 121
Pregethwr 3:1-8
Luc 9:57-62
Iago 4:13-15

Emyn

O! Dduw a Llywydd oesau'r llawr,
Preswylydd tragwyddoldeb mawr,
Ein ffordd a dreiglwn arnat Ti —
Y flwyddyn hon, O! arwain ni.

Elfed

Gweddi

Drugarog Dad, deuwn atat ti, yng Nghalan blwyddyn arall, i gydnabod, fel y gwnaeth tadau a mamau'r Ffydd ar hyd y cenedlaethau, fod ein hamserau yn dy law di.

Yn dy law y mae f'amserau,
Ti sy'n trefnu 'nyddiau i gyd.

Mor weddus, felly, yw i ninnau blygu i'th ewyllys ar ddechrau
blwyddyn newydd, a chydnabod mai

Ti yw Lluniwr y cyfnodau
Oesoedd a blynyddoedd byd.

Caniatâ i bob un ohonom wybod yr hyn a wybu'r Salmydd gynt, sef
dy fod 'wedi cau amdanaf yn ôl ac ymlaen, ac wedi gosod dy law drosof'.
Mor rhyfeddol, Arglwydd, yw dy ofal rhagluniaethol drosom ni, dy
greaduriaid bregus. 'Fedrwn ninnau, fel y Salmydd, ddim ond sibrwd
yn syfrdan,

Y mae'r wybodaeth hon yn rhy ryfedd i mi;
y mae'n rhy uchel i mi ei chyrraedd.

Gan hynny, wrth inni roi ein pwys ar y garreg filltir hon sy'n dynodi
treigl ein blynyddoedd, dyro inni wybod mai o'th ras di y caniatawyd
inni weld un flwyddyn arall.

Gofynnwn, felly, am iechyd a nerth i wneud dy ewyllys di yn ystod
yr amser sy'n cael ei ymddiried inni gennyt ti. Gwna ni'n stiwardiaid
cyfrifol ar oriau ein bywyd, ein horiau hamdden fel ein horiau gwaith,
fel y treuliwn bob awr er gogoniant i ti. Wrth ofyn hyn, 'fedrwn ni
ddim llai na chyffesu inni gloffi lawer gwaith yn y gorffennol, gan
gefnu ar ddisgleirdeb dy oleuni di, a 'chyndyn droi ein henaid tua'r nos'.

Am imi dreulio'r nerth a roddaist im'
Mewn ymdrech nas ordeiniaist ti erioed,
Heb ddim ond gwaddod oes i'w roi i ti —
O! Dduw, edifar wyf.

Am wrthod o'm hamynedd ddal yn hwy,
Ond gwthio f'anwir law drwy d'edau di,
A drysu'r cynllun drefnwyd ar fy rhan —
O! Dduw, edifar wyf.

Ar ddechrau blwyddyn, fel hyn, gweddïwn:
dros ein byd, ar i'w ryfeloedd beidio, ac i heddwch deyrnasu;
dros ein cenedl, ar iddi d'adnabod di, yr unig wir Dduw;
dros ein plant, ar iddynt allu tyfu mewn diogelwch;
dros ein hieuenctid, ar iddynt anturio i ddilyn Iesu Grist;

dros yr hen, ar iddynt gael gofal a chariad yn eu hwyrddydd;
dros y truenus, ar iddynt dderbyn cyfiawnder ar law cyd-ddyn;
drosom ninnau, ar inni brofi o'th faddeuant a'th drugaredd.

Y flwyddyn hon, O! Arglwydd, bydd o'n hôl i'n cymell i gerdded
llwybr dy ewyllys, ac o'n blaen i'n harwain ym mheryglon y daith.
Bydded dy freichiau tragwyddol oddi tanom i'n cynnal a'th ragluniaeth
trosom i'n cadw. Gofynnwn hyn yn enw Iesu Grist ein Harglwydd.
Amen.

Emyn
> Ein Duw, ein nerth drwy'r oesau fu,
>   Ein gobaith am a ddaw,
> Ein cysgod rhag y corwynt cry',
>   A'n cartref bythol draw.
>
>   *Isaac Watts (cyf. R. Morris Lewis)*

Pregeth
**Salm 31:14-15: 'Ond yr wyf yn ymddiried ynot ti, Arglwydd, ac
yn dweud, "Ti yw fy Nuw". Y mae fy amserau yn dy law di.'**

Ar adeg y Calan, yn anad un tymor arall o'r flwyddyn, yr ydym fwyaf
ymwybodol o dreigl Amser. Yn wir, un o'r pethau cyntaf a wnawn ni,
fore'r Calan, yw rhoi enw newydd sbon i'r flwyddyn sydd wedi gwawrio,
a'n hatgoffa'n hunain yr un pryd nad ein heiddo ni mohoni i wneud
fel y mynnom ni â hi, ond blwyddyn yr Arglwydd, *Annus Domini*, neu,
fel y dywedai'r hen dadau gynt, 'y flwyddyn *fel a fel* o ras Duw'.

Wrth rifo'r flwyddyn newydd, 'rydym yn cael ein hatgoffa fod rhifedi
ein blynyddoedd ninnau ynghlwm wrth rif y flwyddyn. Rywbryd yn
ystod y flwyddyn hon — os Duw a'i myn — bydd rhaid i bob copa walltog
ohonom ni ychwanegu un — yr un-arall-eto hwnnw sy'n gymaint o boen
i lawer, at rifedi ein blynyddoedd ninnau.

Go brin fod hynny'n gwbl wrth fodd unrhyw un ohonom, ar wahân,
efallai, i'r ifanc ysgafala. Fe gofiwn am y gri a ddaeth o galon Eifion
Wyn gynt:

> Pam, Arglwydd, y gwnaethost Gwm Pennant mor dlws,
>   A bywyd hen fugail mor fyr?

Ond wrth gwyno, felly, am freuder
a byrhoedledd einioes dyn, dim ond adleisio cwyn y canrifoedd yr oedd
y bardd o Borthmadog. Onid oedd Salmydd o Iddew wedi penderfynu,

ganrifoedd lawer yn ôl, mai rhyw 'ddeng mlynedd a thrigain yw blynyddoedd ein heinioes, neu efallai bedwar ugain mlynedd' ar y gorau? Ond hyd yn oed wedyn 'y mae eu hyd yn faich a blinder', a chasgliad yr hen Salmydd duwiol oedd,

'Ânt heibio yn fuan, ac ehedwn ymaith'.

'Mae'r blynyddoedd yn hedfan!' — sawl gwaith y clywsom ni'r hen bobl yn dweud hynny? Ac yna'n ychwanegu'n awgrymog: '. . . a ninnau'n hedfan gyda nhw!' Dyna neges y cloc haul sy'n sefyll y tu allan i Goleg Prifysgol Bangor, ac arno'n gerfiedig y geiriau hyn:

'Hed Amser,' meddi. Na!
Erys Amser; dyn â.

* * *

Dywedwch i mi, beth yw'r peth annelwig, rhyfedd hwnnw y mae plant dynion yn ei alw'n Amser? Fe allwn ni ei fesur, a rhifo'i oriau a'i funudau, ond mae athronwyr a diwinyddion mwya'r byd — heb sôn am y gwyddonwyr — wedi trio'i ddiffinio, ac wedi methu. Ond daeth y Cymro, Selyf Roberts, o fewn y nesaf peth at wneud hynny. Fe ddywedodd, rywdro, fod dau syniad mawr wedi gwawrio ar feddwl dyn. Mae'r naill syniad o'r tu ôl iddo, a'i enw arno yw 'ERIOED', ac mae'r llall o'r tu blaen iddo, a'r enw arno yw 'HYD BYTH'. 'Ac Amser,' meddai Selyf Roberts, 'yw'r peth sydd rhwng y ddau.' Go dda!

Dyna lle'r ydym ni, chi a finnau, yn trigo: ym myd Amser, rhwng y ddau begwn arwyddocaol, 'ERIOED' a 'HYD BYTH'. A chan mai meidrolion ydym ni, 'rydym ni i gyd ar drugaredd Amser. Oherwydd yr hyn y mae Amser yn ei wneud, os gadewch chi lonydd iddo'n ddigon hir, yw erydu. Mae'n erydu creadigaeth Duw; mae'n erydu creadigaeth dyn hefyd, a heb yn wybod iddo, mae'n erydu dyn ei hunan.

Dyna a welodd Crwys, 'slawer dydd, pan alwodd heibio i Felin Trefin. Mae'n wir fod Crwys wedi gofidio wrth weld olion y 'curlaw mawr a'r gwynt' yn erydu'r felin a'i throi'n adfail.

Segur faen sy'n gwylio'r fangre
Yn y curlaw mawr a'r gwynt,
Dilythyren garreg goffa
O'r amseroedd difyr gynt.

Ond 'roedd rhywbeth tristach — anhraethol dristach — na malu'r felin wedi digwydd yn Nhrefin. Nid malu'r felin sy'n poeni Crwys, ond malu'r

48

melinydd, a'r gymdeithas braf, 'yr amseroedd difyr gynt' oedd yn troi o gylch ei berson:

> Ond 'does yma neb yn malu,
> Namyn amser swrth a'r hin
> Wrthi'n chwalu ac yn malu,
> Malu'r felin yn Nhefin.

Onid yr un tristwch yn union sydd wedi digwydd yn hanes yr hen adeiladau eglwysig sy'n britho daear Cymru? Bu'r rhain, gynt, yn 'felinau Duw' i genedlaethau lawer, ond bellach, mae llawer ohonyn 'nhw'n adfeilion, neu'n waeth na hynny. Ond poenwch a phryderwch, nid am yr erydu ar yr adeiladau, ond am yr erydu ar gymdeithas pobl Dduw, a'r erydu ar y Ffydd, ac ar y gwerthoedd, a'r safon, a'r moes yr oedd y cysegr a'r seintwar yn eu cynrychioli.

Mae'n siwr gen i fod Calan y flwyddyn yn gallu dwyn elfen o dristwch i'n calonnau ni wrth sylweddoli'r erydu sydd wedi bod nid yn unig ar fywyd ein capeli a'n heglwysi, ond ar ein bywyd teuluol hefyd, oddi ar pan fuom ni'n sefyll ar riniog blwyddyn newydd o'r blaen. Ond mae'r Beibl am inni droi tristwch yr amgylchiad yn rhywbeth creadigol a chadarnhaol. Mae am inni sylweddoli un gwirionedd mawr a fedr newid ein hagwedd at fywyd. O holl greaduriaid byd, i ddyn yn unig y rhoddwyd yr ymwybyddiaeth o'i feidroldeb ei hun. Ef yw'r unig greadur a ŵyr fod treigl amser yn rhywbeth y gall ei ddisgwyl yn ystod ei bererindod ar y ddaear. Chwedl yr hen Gymro, 'Un rhaid sydd . . .' Ac fe gewch chi orffen y dyfyniad!

Dyna pam y mae'r Beibl am inni dderbyn hyn fel rhywbeth cwbl naturiol, gan ddysgu oddi wrth y profiad, ac elwa arno. Ebe'r Salmydd,

> Felly dysg ni i gyfrif ein dyddiau,
> inni gael calon ddoeth.

I'r Cristion o bawb, nid achos tristwch yw bod dyn yn sylweddoli ei feidroldeb. Dyna pam yr oedd Leslie Richards, y bardd o Ddyffryn Tywi, yn gallu synied am dreigl Amser fel y peth mwyaf naturiol yn y byd. Clywch arno'n ymlid y tristwch:

> Na fydded drist fy ymarweddiad
> Wrth gofio'r Angau a ddaw ryw ddydd,
> Pan dawdd fy enaid i Ysbryd y Cread,
> A'm corff yn dychwelyd i'w gartre'n y pridd.

*   *   *

49

Er hynny, er bod rhannau o'r Beibl am inni gydnabod mai treigl Amser ar ein bywydau yw'r peth mwyaf naturiol yn y greadigaeth, dim ond rhan o'r stori yw hynny. 'Dyw'r Beibl ddim am inni eistedd 'nôl, yn gwbl oddefol, a derbyn rhaib Amser yn union fel pe bai hynny'n dynged ac yn ffawd inni. Mae 'na wythïen drwchus o'r Ysgrythur sy'n pwyso ar ddyn i afael mewn Amser gerfydd ei war, a gwisgo harnais amdano, er mwyn ei droi, o fod yn feistr ac yn ormes arnom, i fod yn was ufudd inni.

'Doedd Paul fyth yn blino dweud hyn. 'Daliwch ar eich cyfle,' meddai wrth Gristnogion Effesus, 'oherwydd y mae'r dyddiau'n ddrwg.' Ac mae ganddo'r un cyngor yn union, air am air, i Gristnogion Colosae: 'Daliwch ar eich cyfle', hynny yw: 'Prynwch yr amser', a gafaelwch ynddo gerfydd ei war! A pha well cyngor i bregethwr, na'i anogaeth i Timotheus, sydd wedi cael ei hailadrodd, dro ar ôl tro, fel siars i weinidog ifanc: 'Pregetha'r gair; bydd yn barod bob amser, boed yn gyfleus neu'n anghyfleus'.

Yr hen ddarlun cyfarwydd o Amser yn y byd clasurol oedd y darlun o'r hen glochydd penfoel – *'that bald sexton, time'*, chwedl William Shakespeare. Ond gwell imi fod yn fanwl gywir. 'Doedd yr hen glochydd ddim yn gwbl benfoel: 'roedd un cudyn o wallt ym môn ei dalcen, digon o afael i bobl fel chi a minnau gydio ynddo, a'i dywys. Ond nid ei dywys i wneud yr hyn a fynnom *ni* ag ef, ond yr hyn y mae Duw yn ei ewyllysio. 'Pryn yr Amser!' i ddibenion Duw; *'Carpe Diem!';* 'Achub ar y cyfle!' a hynny er mwyn cyflawni gogoniant Duw.

Oherwydd mae Amser yn mynd rhagddo ar garlam, ac mae bysedd yr hen gloc barus yn bwyta'n munudau a'n horiau heb yn wybod inni. Faint yw hi o'r gloch ar Gymru? Faint yw hi o'r gloch ar Eglwys Iesu Grist? Yr ateb, wrth gwrs, yw ei bod hi'n llawer mwy diweddar nag y mae neb ohonom ni wedi sylweddoli. Ond dyna neges Dafydd Iwan i ieuenctid Cymru?

> Cofia frawd nad oes amser gennyt bellach
> I dindroi yn feddw a di-hid;
> Hwn yw'r cyfle olaf gawn,
> Eisoes mae yn hwyr brynhawn,
> A'r haul yn bygwth machlud ar ein byd.

Fe wyddai'r Arglwydd Iesu Grist yn well na neb fel yr oedd gormes Amser yn gwasgu ar ofynion y Deyrnas. Ydych chi'n cofio ateb Iesu i'r gŵr hwnnw a ddywedodd wrtho un tro: 'Canlynaf di, Arglwydd, ond yn gyntaf caniatâ imi ffarwelio â'm teulu'? Yr hyn a ddywedodd Iesu wrtho oedd: 'Nid yw'r sawl a osododd ei law ar yr aradr, ac sy'n edrych yn ôl, yn addas i deyrnas Dduw'.

Sylwch ar y ddelwedd drawiadol a ddefnyddiwyd gan Iesu Grist: delwedd yr aradr. Yn ddiddorol iawn, fe afaelodd Rebecca Powell yn yr union ddelwedd hon, a'i chymhwyso i dymor y Calan. I rai, meddai Rebecca, mae dechrau blwyddyn yn debyg i un yn nyddu'r edau frau ar y dröell; i eraill, mae fel rhywun yn ysgrifennu ar ddudalen o bapur gwyn; i eraill, mae fel cerdded i gae o eira gwyn di-sathr; i eraill eto fyth mae fel dechrau pennod newydd mewn llyfr. 'Ond i mi, fel merch ffarm,' meddai Rebecca, 'yr un darlun a ddaw i'r meddwl bob tro, sef darlun o gae eang yn barod i gael ei aredig, a'r aradr yn barod i agor y gwys gyntaf.'

Llaw ar yr aradr amdani, felly, gan agor cwys newydd ar ddechrau blwyddyn arall o ras Duw! Ac fel y cofiwch chi, byddai rhai o'r hen gymeriadau'n canu wrth aredig. A 'fedra'i ddim meddwl am ragorach geiriau i'w canu wrth dorri cwysi cyntaf blwyddyn newydd, na geiriau'r hen Salmydd, gynt:

Yr wyf yn ymddiried ynot ti, Arglwydd,
ac yn dweud, 'Ti yw fy Nuw.'
Y mae fy amserau yn dy law di.

Amen.

Emyn

Yn dy law y mae f'amserau,
Ti sy'n trefnu 'nyddiau i gyd,
Ti yw Lluniwr y cyfnodau,
Oesoedd a blynyddoedd byd;
Rho dy fendith
Ar y flwyddyn newydd hon.

Nantlais

Y Fendith

Bydded i Dduw'r tangnefedd ei hun eich sancteiddio chwi yn gyfan gwbl, a chadw eich ysbryd a'ch enaid a'ch corff yn gwbl iach a di-fai hyd ddyfodiad ein Harglwydd Iesu Grist! Amen.

51

"RWY'N GWEDDÏO AR IDDYNT OLL FOD YN UN'
Sul Gweddi am Undod Cristnogol

Brawddegau

Ymrowch i gadw, â rhwymyn tangnefedd, yr undod y mae'r Ysbryd yn ei roi. Un corff sydd, ac un Ysbryd, yn union fel mai un yw'r gobaith sy'n ymhlyg yn eich galwad; un Arglwydd, un ffydd, un bedydd, un Duw a Thad i bawb, yr hwn sydd goruwch pawb, a thrwy bawb ac ym mhawb.

Emyn

Dy law, O! Dduw, fu'n tywys
  Dy braidd o oes i oes,
A'r hanes sydd yn eglur
  I bawb mewn cred a moes:
Ein tadau a fu'n dystion
  I'th nodded yn ein dydd,
Gan arddel byth un Arglwydd,
  Un Eglwys ac un Ffydd.
                E.H. Plumtree (cyf. W.H. Harries)

Darlleniadau

Ioan 17:6-21
I Corinthiaid 12:12-27

Emyn

Glanha dy Eglwys, Iesu mawr –
  Ei grym yw bod yn lân;
Sancteiddia'i gweddi yn ei gwaith,
  A phura hi'n y tân.
                        Elfed

Gweddi

(Wrth alw'r gynulleidfa i weddi, gall y sawl sy'n arwain y gwasanaeth wahodd ymateb. Pan ddywed y sawl sy'n arwain, 'Rhown glod i ti, O! Dduw . . .' atebed y gynulleidfa, '. . . a molwn dy enw glân').

Arglwydd, clyw ein gweddi ar ran yr Eglwys a roddaist i ni trwy dy Fab, Iesu Grist ein Harglwydd. Am i ti ei hadeiladu ar graig, ac addo na chaiff holl bwerau angau y trechaf arni,

rhown glod i ti, O! Dduw, . . . a molwn dy enw glân.

Diolchwn am y rhai a roes eu bywyd dros dy Eglwys. Bu rhai'n ferthyron drosti, gan aberthu hyd at waed. Bu eraill yn dystion i Iesu Grist drwy gydol eu bywyd daearol, gan eu cyflwyno eu hunain yn llwyr i'w wasanaeth. Am y rhai hyn oll, ac am eu ffydd a'u haberth,

rhown glod i ti, O! Dduw, . . . a molwn dy enw glân.

Mawrhawn ffyddlondeb dy bobl i'th Eglwys dros y cenedlaethau. Bu rhai'n arwain ei gwasanaethau, ac yn pregethu'r Gair, yn gweinidogaethu i'w phobl ac yn gweinyddu ei bywyd. Bu rhywrai'n cyfieithu ei hysgrythurau, ac yn eu dehongli; yn cyfansoddi emynau, a cherddoriaeth gysegredig, ac yn mynegi'r Ffydd trwy arluniaeth a chrefft. Bu eraill yn wrandawyr ac yn addolwyr ffyddlon, ac yn weithwyr diwyd yn y winllan. Am bob ymroddiad a phob ymgysegriad,

rhown glod i ti, O! Dduw, . . . a molwn dy enw glân.

Clyw eiriolaeth dy bobl ar i'th Eglwys fod yn un yn Iesu Grist, gan gydwasanaethu, a chydgario cyfrifoldeb a baich, gan gydaddoli a chydgenhadu. Diolchwn i ti am bob cyfrwng a chyfle i ddwyn dy bobl yn nes at ei gilydd, i weithio o blaid dy Deyrnas, gan ymhyfrydu yn y fraint;

rhown glod i ti, O! Dduw, . . . a molwn dy enw glân.

Arglwydd, gweddïwn dros y rhai sy'n gweithio mewn mannau anodd, gan wynebu peryglon a gwrthwynebiad. Cofiwn am y rhai a erlidir oherwydd eu safiad dros Iesu Grist, a gofynnwn am dy ymgeledd drostynt. Am ddewrder a gwroldeb y rhai sy'n dystion cywir i ti, er pob perygl a bygythiad,

rhown glod i ti, O! Dduw, . . . a molwn dy enw glân.

Arglwydd, clyw ein gweddi, a maddau ein pechodau i'th erbyn. Gofynnwn hyn, gan offrymu'r weddi sy'n clymu teulu'r Ffydd ynghyd dros wyneb y ddaear:

Ein Tad . . .   Amen.

Emyn

Trwy nos galar ac amheuon
  Teithia pererinion lu,
Ânt dan ganu cerddi Seion
  Tua gwlad addewid fry.

B.S. Ingemann (cyf. Elis Wyn o Wyrfai)

Pregeth

Ioan 17:21: ''Rwy'n gweddïo ar iddynt oll fod yn un, ie, fel yr wyt ti, O Dad, ynof fi, a minnau ynot Ti.'

'Rwy'i am ichi geisio dychmygu'r olygfa. Mewn goruwchystafell mae cwmni o ddynion o gylch y bwrdd yn swpera. Mae'n amlwg mai Swper Ffarwel yw'r achlysur, sef ffarwel i'r un sy'n eistedd wrth ben y bwrdd, ac sydd ar fin eu gadael. Heb unrhyw eglurhad, mae un o'r cwmni yn sleifio allan o'r ystafell. Y gwir amdani yw fod ganddo weithred ysgeler i'w chyflawni. 'Yn union wedi cymryd y tamaid bara, aeth Jwdas allan.' Ac wrth adrodd yr hanes, mae Ioan yn ychwanegu'r sylw cryptig: 'Yr oedd hi'n nos'.

'Roedd hi'n nos ar y cwmni bach mewn mwy nag un ystyr. Torrodd geiriau eu Meistr ar eu clyw. 'Roedd awr ei ymadawiad, meddai, yn dynesu. Ym mhen ychydig caent hwythau eu gwasgaru, ac yn wir eu gorthrymu.

Y peth rhyfedd oedd bod Iesu ei hun i'w weld yn gwbl hunanfeddiannol. Yn ei olwg ef nid awr dywyll oedd yr awr honno, ond awr gogoneddu Mab Duw:

O Dad, y mae'r awr wedi dod. Gogonedda dy Fab, er mwyn i'r Mab dy ogoneddu di.

Poeni am ei ddisgyblion yr oedd Iesu, nid amdano'i hun. Beth a ddigwyddai iddyn' nhw? Mae'n offrymu gweddi ar eu rhan, gan eiriol 'ar iddynt oll fod yn un'. Ond nid dros ei ddisgyblion yn unig yr oedd yn eiriol, ond 'dros y rhai fydd yn credu ynof fi drwy eu gair hwy'. Gweddi dros ddisgyblion y dyfodol oedd hon, felly; dros bobl fel chi a minnau, aelodau Eglwys Iesu Grist sy'n etifeddion Ffydd y disgyblion cyntaf.

Gadewch inni ddeall ein gilydd ynghylch hyn. Mae Iesu Grist yn yr Oruwchystafell yn gweddïo am *undod*. Ond mae tair gris i'w weddi:

Yn gyntaf,	mae'n cyfeirio at undod fel *ffaith,* sef yr undod sydd eisoes yn bodoli ym mherthynas y Tad â'r Mab. Mae'r Tad a'r Mab yn un.
Yn ail,	mae'n sôn am yr undod hwnnw fel *patrwm* i'r disgyblion. Yn union fel 'roedd y Tad a'r Mab yn un, mae Iesu Grist yn gweddïo ar iddynt hwythau fod yn un.
Yn drydydd,	mae'r undod y mae Iesu'n sôn amdano i fod yn *olyniaeth* ddi-dor yn ymestyn oddi wrth y Tad a'r Mab, trwy'r Deuddeg Disgybl, at Eglwys Iesu Grist i lawr y canrifoedd. Y maent hwythau hefyd yn cael eu cynnwys yng ngweddi Iesu Grist 'ar iddynt *oll* fod yn un'.

Y mae hyn yn ddigon pwysig i'w ailadrodd. Y mae Eglwys Iesu Grist i fod yn un. Fe ddigwydd hynny nid am ein bod ni'n dymuno i hynny fod yn wir, nid am fod Pab wedi penderfynu hynny; nid am fod Cyngor Eglwysig wedi dedfrydu felly. Mae Eglwys Iesu Grist i fod yn un am mai dyna oedd gweddi Iesu Grist ar ei rhan, a honno'n weddi a offrymwyd gyda'r difrifoldeb mwyaf, ac ar yr awr fwyaf argyfyngus.

A oes amgenach man cychwyn i unrhyw drafodaeth ar gwestiwn undod yr Eglwys na'r ffaith fod Iesu Grist ei hun, Arglwydd yr Eglwys, wedi gweddïo am yr undod hwnnw?

*   *   *

Byddai rhywrai am wasgu undod ar yr Eglwys 'oddi uchod', gan wthio peirianwaith a strwythur ar eglwysi ac enwadau trwy benderfyniad uchellys neu gyngor eglwysig a fyddai, maes o law, yn eu llyncu nhw i gyd mewn un sefydliad monolithig, canolog ei awdurdod. Neu, felly y mae'n ymddangos!

Yng ngolwg eraill, yr undod dilys yw'r undod a ddaw 'oddi isod', yn codi o ewyllys yr addolwr cyffredin yn ei sedd. Undeb democrataidd iawn yw hwn, oherwydd dim ond pan fydd Siôn a Siân o'u seddau, yn penderfynu y byddai'n drefniant dymunol a buddiol, y daw'r undod hwnnw i weithrediad. Neu, felly y mae'n ymddangos!

Dros y blynyddoedd diwethaf hyn, bu'r drafodaeth ar undod yr eglwys yn pendilo rhwng y ddau begwn hyn – rhwng yr *'oddi uchod'*, a'r *'oddi isod'*. Yn fynych, bu mwy o wres yn y trafod nag o oleuni. Ac yng nghanol y pendilo a'r polareiddio, fe anghofiwyd, yn fynych, mai o gyfeiriad cwbl arall y daw'r undod yn ffaith, sef o gyfeiriad Iesu Grist ei hun, a'i weddi ar i'r Eglwys fod yn un.

Pa un ohonom, o'n pen a'n pastwn ein hunain, fyddai wedi beiddio awgrymu y gellid rhestru 'undod' ymhlith prif nodweddion Eglwys Iesu Grist, o gofio iddi ledu ei hesgyll i eithafion y ddaear, gan addoli trwy ieithoedd gwahanol, a defodau a ffurfiau rhyfeddol eu hamrywiaeth? Undod yr Eglwys? Pa un ohonom fyddai wedi crybwyll y fath syniad, oddieithr bod Arglwydd yr Eglwys wedi gwneud yr undod hwnnw'n destun gweddi, a hynny pan oedd cysgod ei groes yn torri ar draws ei lwybr?

Ys gwn i a oedd Iesu Grist, wrth offrymu'r weddi am undod, wedi synhwyro y byddai'r broses o'i sicrhau yn un mor boenus ac araf? A'r rheswm pam y mae mor boenus ac araf, wrth gwrs, yw am fod y natur ddynol mor drofaus.

Ceir awgrym o hynny hyd yn oed ymhlith disgyblion Iesu Grist ei hun. 'Doedd dim llawer o undod rhyngddyn' nhw ar dro. Ydych chi'n cofio'r hanesyn hwnnw am y disgyblion eraill yn cael eu cythruddo pan wnaeth Iago ac Ioan eu cais ar i Iesu Grist addo'r seddau gorau iddyn' nhw — y naill ar y llaw dde iddo, a'r llall ar y llaw chwith — yn rhestr flaenoriaeth y Deyrnas? 'Undod' dd'wedsoch chi? Go brin!

Ac 'roedd yr un peth yn wir am yr Eglwys yn ei dyddiau cynnar. Yn Antioch yn Syria, bu'n rhaid i Paul geryddu un o'i gydapostolion, neb llai na Simon Pedr ei hun, am y modd rhagrithiol yr oedd wedi trin rhai o'r Cristnogion Cenhedlig yn y ddinas honno. A 'doedd Cristnogion Corinth fawr gwell, gan i ymbleidio ac ymraniadau rwygo'r eglwys a gorfodi Paul i godi ei lais mewn protest: 'A aeth Crist yn gyfran plaid?'

Mae'n siwr fod Iesu Grist, o'i adnabyddiaeth drylwyr o'r natur ddynol, wedi hen synhwyro mai proses boenus ac araf fyddai'r broses o sicrhau undod yr Eglwys. Ac ar ôl ugain canrif mae'r broses yr un mor boenus a'r un mor araf.

Mae'n wir fod William Temple, pan orseddwyd ef yn Archesgob Caergaint ar ganol y ganrif wedi cyfeirio at undod Eglwys Iesu Grist fel *'the great new fact of our era.'* Ond er i undod yr Eglwys mewn egwyddor dyfu'n undod mewn ffaith mewn rhai rhannau o'r byd, — hynny yw, yn undeb organig a gweladwy — araf iawn fu'r symud 'tuag at undeb' mewn mannau eraill, gan gynnwys Cymru.

Bu'n rhaid i'r Eglwys ofyn cwestiynau treiddgar iddi ei hun yn ystod blynyddoedd ein canrif ni, ac mae rhai o'r cwestiynau hynny'n dal i godi eu pennau i'n poeni wrth inni groesi i fileniwm newydd. Gofynnwyd un o'r cwestiynau mwyaf treiddgar mor bell yn ôl â 1910 pan ddaeth dros fil o Gristnogion ynghyd o bob rhan o'r byd mewn Cynhadledd Genhadol yn ninas Caeredin. A dyma'r cwestiwn: 'Sut y gall Eglwys ranedig weinidogaethu i fyd drylliedig, a chynnig cymod i fyd pan nad yw'n dangos cymod yn ei bywyd ei hun?' Onid rheitiach gwaith iddi fyddai rhoi trefn ar ei thŷ ei hun yn gyntaf?

Unwaith y dechreuir holi, mae'r cwestiynau'n llifo. Ydi cymod yn bosibl rhwng Cristnogion sydd am y pegwn â'i gilydd yn ddiwinyddol ac yn enwadol? A ellir closio at ein gilydd heb fradychu argyhoeddiad ac egwyddor? A all Anghydffurfwyr dderbyn esgobyddiaeth i mewn i'w system eglwysig? Faint o bwys sydd i'r eglwys gynnull mewn enwad sy'n cael ei lywodraethu'n ganolog? Ym mha fodd y mae Anghydffurfwyr i ddeall yr Olyniaeth Apostolaidd? A beth am gwestiwn dreiniog y Presenoldeb Real yn y sacrament? Oni fedr Pabydd ac Anghydffurfiwr daeru cred yn y Presenoldeb Real, ond gan olygu, wrth hynny, rywbeth sy'n wahanol iawn i'w gilydd?

Go brin y bydd unrhyw fformiwla a lunnir mewn geiriau dynol yn ateb digamsyniol a digonol i'r cwestiynau hyn, nac ychwaith i'r mil ac un o gwestiynau eraill sy'n codi yn eu sgîl. Yn y cyfamser, tra bo'r eglwysi wrthi'n diwinydda, bydd y meysydd wedi gwynnu i'r cynhaeaf, a meistr y cynhaeaf wedi hen flino disgwyl am ei fedelwyr.

*   *   *

Mae'n amlwg mai o gam i gam y mae symud. Y cam cyntaf un, a'r nesaf at ein penelin, yw cydweithrediad rhwng yr eglwysi a'i gilydd, o fewn yr un enwad, ac ar draws yr enwadau hefyd. Gall hynny ddigwydd wrth wasanaethu'r gymuned leol; wrth ymateb i gri'r ddynolryw o'n cwmpas; wrth estyn elusen mewn trugaredd a thosturi; wrth ymroi i ddatrys rhai o broblemau cymdeithasol enbyd ein hoes, heb sôn am wrth gydaddoli.

I rai Cristnogion mae hyd yn oed hynny'n ormod o faich, neu'n ormod o drafferth. Dichon fod ambell Gristion yn credu bod cydweithredu yn y modd hwn yn ddianghenraid gan fod undod yr eglwys eisoes yn bodoli. Iddyn' nhw, digon yw dweud mai rhywbeth ysbrydol yw'r undod hwnnw, ac nid oes felly angen rhoi mynegiant diriaethol iddo, ddim hyd yn oed trwy estyn llaw mewn cydweithrediad i gyfeiriad eglwys o enwad arall sydd lai na chanllath i lawr y ffordd!

Mae'r cwestiwn yn codi: ai dyma'r math o 'undod' yr oedd Iesu Grist yn meddwl amdano wrth offrymu'i weddi fawr yn yr Oruwchystafell y Dydd Iau Cablyd hwnnw gynt? Ai dyma'r math o undod a oedd yn ei glymu ef â Duw, yn batrwm i'w ddisgyblion yn ei oes ei hun, ac yn olyniaeth i ddisgyblion y canrifoedd ei hetifeddu? Byddai awgrymu'r fath beth yn rhyfyg ar ein rhan.

Mae cam arall i'w gymryd ar lwybr undod yr Eglwys, siwr o fod, a hwnnw'n gam arwyddocaol iawn. Bydd y cam hwnnw'n cael ei gymryd pan droir ein cydweithrediad-o-hyd-braich yn ddeialog ystyrlon, eglwys ag eglwys, ac enwad ag enwad. A phwy a ŵyr, o fentro'r cam pellach hwnnw, efallai y'n harweinir ninnau, megis yr arweiniwyd yr Esgob David Shepherd a'r diweddar Archesgob Derek Warlock i dystio i Grist gyda'i gilydd yn ninas Lerpwl, fel yr oedd teitl eu llyfr yn awgrymu: *'Better Together'*. Byddai arwyddair felly yn arwyddair rhagorol i gannoedd lawer o eglwysi Cymru. Oherwydd 'fedrwn ni ddim fforddio gweithredu ar wahân yn y frwydr i ennill y byd i Grist. Nid 'Annibynwyr' ŷm ni yn y frwydr honno, ond 'Cyd-ymddibynwyr', nid *'Independents'* ond *'Interdependents'!* 'Roedd Paul wedi deall hynny pan gyffelybodd yr Eglwys i gorff Crist: 'Ni all y llygad ddweud wrth y llaw, ''Nid oes arnaf dy angen di'', na'r pen chwaith wrth y traed, ''Nid oes arnaf eich angen chwi''. 'Rŷm ni i gyd yn y frwydr *gyda'n gilydd!*

Y mae, wrth gwrs, gam arall eto. Ar hyn o bryd, nid yw'r cam hwnnw ond breuddwyd. Ond peidiwn â diystyru breuddwyd, oherwydd daeth sylwedd cyn hyn o'r fath ddeunydd ansylweddol. A dyma freuddwyd sy'n werth ei choleddu: y bydd Duw yn ei Lân Ysbryd yn ein tywys ninnau, Gristnogion Cymru, i roi mynegiant i'n hundod trwy ymuno â'n cyd-Gristnogion o fewn y genedl i ffurfio Eglwys ar ei newydd wedd a fydd yn ymgorfforiad o'r cyfoeth a gyfrennir iddi gan bob traddodiad ac enwad, a hynny heb dreisio egwyddor na thagu argyhoeddiad. A'n carn dros goleddu'r fath freuddwyd? Dim byd llai na'r ffaith fod Iesu Grist ei hun, y noson cyn ei farw, wedi gweddïo drosti:

'. . . ar iddynt oll fod yn un, ie, fel yr wyt ti, O Dad, ynof fi, a minnau ynot ti.'

Amen.

Emyn

Nid oes yng Nghrist na dwyrain, de,
Gorllewin, gogledd, chwaith:
Cymdeithas gref o gariad sydd
Yn un drwy'r ddaear faith.

John Oxenham (cyf. William Morris)

Y Fendith

A rhodded Duw, ffynhonnell pob dyfalbarhad ac anogaeth, ichwi fod yn gytûn eich meddwl ymhlith eich gilydd, yn ôl ewyllys Crist Iesu, er mwyn ichwi, yn unfryd ac yn unllais, ogoneddu Duw a Thad ein Harglwydd Iesu Grist. Amen.

COFFÁU DEWI SANT
Y Sul nesaf at Ŵyl Dewi Sant

Brawddegau

Gwyn ei byd y genedl y mae'r Arglwydd yn Dduw iddi, y bobl a ddewisodd yn eiddo iddo'i hun.

Mawrygwn dy enw di, y dydd hwn, O! Arglwydd Dduw, wrth ddiolch i ti am orffennol ein cenedl. Ond gweddïwn hefyd am i ti ddeffro yn ein calon obaith am yfory gwell i'w phobl, dan arweiniad Iesu Grist dy Fab. Amen.

Emyn

Molwn Di, O! Dduw ein tadau,
  Uchel ŵyl o foliant yw;
Awn i mewn i'w byrth â diolch,
  Ac offrymwn ebyrth byw;
Cofiwn waith dy ddwylo arnom,
  A'th amddiffyn dros ein gwlad;
Tithau o'th breswylfod sanctaidd,
  Gwêl a derbyn ein mawrhad.

Eifion Wyn

Darlleniadau

O'r *Apocryffa*. Ecclesiasticus 44:1-15
Hebreaid 11:39-12:3

Emyn

Cofia'n gwlad, Ben-llywydd tirion,
  Dy gyfiawnder fyddo'i grym:
Cadw hi rhag llid gelynion —
  Rhag ei beiau'n fwy na dim:
Rhag pob brad, nefol Dad,
Taena d'adain dros ein gwlad.

Elfed

Gweddi

Arglwydd pob cenedl, Lluniwr pob hil a llwyth ar wyneb daear, a'r un a'th ddatguddiodd dy hun yn hanes pob math, a phob lliw a llun ar blant dynion, clodforwn dy enw, y dydd hwn, am i ti dy ddatguddio dy hun ym mywyd ein cenedl ni, cenedl y Cymry.

Trysorwn ei hanes gwiw, mawrygwn ei llên a'i diwylliant, canmolwn ei gwŷr enwog, ymhyfrydwn yn ei mynyddoedd a'i dyffrynnoedd, ac ymfalchïwn yn yr iaith firain, y Gymraeg, ar wefus hynafgwr a phlentyn.

Ond wrth ddiolch i ti am y dreftadaeth oludog a ymddiriedwyd i ni, clyw lef ein pryder a'n gofid ynghylch ansicrwydd a pheryglon y dyfodol. Maddau inni, Arglwydd, am ein cyfrifoldeb ni, yn hyn o beth: am inni gefnu ar y glân a'r dyrchafol, am inni esgeuluso'r sanctaidd a'r cysegredig, ac am inni orseddu'r gau yn lle'r gwir. Goruwch popeth, maddau inni am alltudio'r Arglwydd Iesu Grist, dy Fab, i gyrion bywyd ein cenedl.

Ymwêl eto â Chymru, Arglwydd, a dwysbiga galon dy bobl, i'n troi oddi wrth bob llwybr sy'n ein harwain ar ddisberod i gyfeiriad y gau-allorau, a'n tywys yn ôl i Ffordd y Pererinion, y ffordd sy'n arwain i fywyd.

Glanha dy Eglwys, pura hi i fod eto'n gyfrwng i'th Ysbryd Glân, ac yn llestr i'th ewyllys ddwyfol. Tro sylwedyddion yn addolwyr, a gwna'r rhai sy'n edrych yn ôl yn hiraethus dros ysgwydd yn anturus o blaid y gwir i ba le bynnag y mae'r gwir hwnnw'n arwain. A thor drwy grystyn caled ein crefyddolder a'n parchusrwydd nes cyrraedd mêr ein heneidiau â chleddyf daufiniog dy Lân Ysbryd.

Clyw ein hymbil, Arglwydd, a maddau inni, fel cenedl, fel Eglwys, ac fel unigolion ein cilio mynych oddi wrthyt ti.

Gofynnwn hyn oll yn enw Iesu Grist ein Harglwydd. Amen.

Emyn

Melys ydyw cofio'r tadau
A fu gynt â'u ffydd mor fawr,
Yn ymdrechu ag angylion
A chael bendith gyda'r wawr.
Doed y nef â'r fendith eto,
Drwy ymdrechion dynion Duw;
Rhoed ei nerth ym mraich y meibion
Yng ngoleuni'r Ffydd wrth fyw.

D.J. Davies

61

Anerchiad ar ffurf deialog yn seiliedig ar y traddodiadau am Dewi Sant

(Gorau oll os gellir trefnu person oedrannus i gynrychioli
      A. y safbwynt 'amddiffynnol' ynghylch y traddodiadau am Dewi Sant, a
      B. person ifanc, efallai yn yr arddegau, i gynrychioli'r safbwynt mwy 'beirniadol' ac 'ymchwilgar'.)

A.

Ar yr adeg hon o'r flwyddyn, mae'n naturiol i lawer iawn o genedl y Cymry ganolbwyntio ein meddyliau ar hanes Dewi, ein nawddsant. Mae'n gyfle unwaith eto inni ein hatgoffa'n hunain am 'Dewi Ddyfrwr', y mynach o'r chweched ganrif, mab Ceredig ap Cunedda Wledig, a fagwyd ac a addysgwyd yn Henfynyw ger Aberaeron, ac a ymsefydlodd yn ddiweddarach yng Nglyn Rhosyn. Glyn Rhosyn, wrth gwrs, yw'r llecyn lle y saif Cadeirlan Tyddewi heddiw, ac mae'n siwr fod nifer ohonoch chi wedi ymweld â Thyddewi rywdro, ac wedi rhyfeddu at geinder a harddwch yr Eglwys Gadeiriol sy'n nythu fel rhyfeddod annisgwyl dan gysgod y 'ddinas' fechan a dyfodd o'i chwmpas.

I'n golwg ni, heddiw, mae'n ymddangos yn fan anhygyrch i godi Cadeirlan mor ysblennydd, ond rhaid cofio fod y llecyn hwn yn sefyll, gynt, ar un o brif lwybrau trafnidiaeth Cymru—y llwybr oedd yn arwain tros y môr i Iwerddon, ac i Gernyw a Llydaw a llawer gwlad arall. Ac yno, yn y Gadeirlan, mewn cafell a neilltuwyd i'r union bwrpas hwnnw, y cedwir esgyrn Dewi Sant. 'Does ryfedd yn y byd, felly, fod yr hen adeilad cysgredig wedi troi yn gyrchfan poblogaidd i bererinion ar hyd y canrifoedd.

B.

Do, fe fûm i yn Nhyddewi, ac 'rwy'n cofio sefyll yn yr Eglwys Gadeiriol ar bwys y gafell lle y rhoddwyd esgyrn honedig Dewi Sant i orwedd. Sylwch mai esgyrn *honedig* Dewi dd'wedais i, oherwydd mae'n rhaid imi gyfaddef fod cwestiwn go fawr ynghylch dilysrwydd yr esgyrn hynny. Go brin y gallwn ni fod yn siwr ar ôl cymaint o amser mai dyna lle y mae Dewi'n gorwedd. Ac onid dyna asgwrn y gynnen rhyngom ni? 'Rŷch *chi'n* derbyn y traddodiadau am Dewi Sant yn ddigwestiwn, ond mae pedair canrif ar ddeg yn sefyll rhyngom ni a'i berson. Sut y gallwn ni fod mor siwr wrth drafod traddodiadau mor gynnar? Mae'r hen esgyrn yna yn y gafell yn fynegiant huawdl rywsut o'r holl ansicrwydd sydd ynghylch ei berson. Wedi'r holl ganrifoedd, 'does dim dal pwy biau'r esgyrn!

A.

'Rwy'n cydnabod bod ansicrwydd ynghylch person Dewi. A ninnau'n sefyll mor bell oddi wrtho yn nhermau treigl y canrifoedd, beth arall fyddech chi'n ei ddisgwyl ond ansicrwydd?

B.

Ie, ond nid yr ansicrwydd yn unig sy'n fy mhoeni, ond y mythau a'r chwedlau sydd wedi tyfu o gylch ei berson, yn ogystal. 'Does dim modd dod o hyd i berson Dewi dan yr haen trwchus o chwedloniaeth sydd wedi ei bentyrru arno.

A.

'Dwy'i ddim mor siwr eich bod chi'n hollol gywir yn hynny o beth. 'Rŷch chi'n iawn pan ŷch chi'n dweud bod llawer o ddeunydd chwedlonol a mytholegol wedi tyfu'n grystyn trwchus o amgylch person Dewi, ond 'ellwch chi a finnau ddim diystyru'r chwedloniaeth yn llwyr. Ymgais cyfnod arbennig i ddiogelu arbenigrwydd Dewi yw'r chwedloniaeth, a gwaith yr hanesydd proffesiynol yw dadfythu person ein nawddsant—symud yr haenau chwedlonol o'r neilltu, a cheisio ein harwain ni i weld y person hanesyddol sy'n cuddio o'r tu ôl iddyn' nhw.

B.

Popeth yn iawn. Mae'r hyn 'rŷch chi'n ei ddweud yn ymddangos yn ddigon derbyniol. Ond ydi hynny'n ymarferol ar ôl pedair canrif ar ddeg? Wedi'r cyfan, mae hyd yn oed y rhai mwyaf hygoelus yn ein plith yn cael trafferth i gredu rhai o'r storïau a adroddir amdano. Er enghraifft, beth am y stori ryfedd honno am y tir yn codi dan ei draed wrth annerch torf yn Llanddewibrefi? Onid chwedloniaeth bur yw rhywbeth felly?

A.

Mae'n siwr eich bod chi'n iawn. Ond os ŷch chi am ddweud mai chwedloniaeth yw cyfran go helaeth o'r stori, mae'n rhaid ichi gydnabod ei bod hi'n chwedloniaeth arbennig iawn. Yn un peth, mae'n llwyddo i gysylltu Dewi â Llanddewibrefi. Ond hefyd, mae'n ei bortreadu fel arweinydd a chanddo neges yr oedd tyrfa fawr o bobl yn awyddus i'w chlywed. Awydd taer cynulleidfa i glywed yr hyn oedd ganddo i'w ddweud; dyna oedd wedi codi'r tir dan ei draed yn Llanddewibrefi. Gwyn fyd na fydde cynulleidfaoedd Cymru â'r un awydd i glywed neges y pregethwr heddiw, dd'weda'i!

Ac mae Rhygyfarch, wrth gofnodi'r stori ym *Muchedd Dewi*, yn awgrymu bod yr achlysur yn un pwysig, sef Synod Llanddewibrefi, pan oedd dyfodol y Ffydd yn y fantol, a'r hen Eglwys Geltaidd yn brwydro am ei heinioes yn erbyn un o'r heresïau mwyaf blin, sef heresi Pelagiaeth. Mynach o Gymru oedd Pelagius, a fynnai ddweud nad Duw o'i ras, ond dyn, trwy ei ymdrechion ei hun, sy'n cymryd y cam cyntaf yn y broses o sicrhau ei iachawdwriaeth. Brwydr Eglwys Iesu Grist yn erbyn ei gelynion mewn cyfnod arbennig yn hanes Cymru ydi craidd hanesyddol yr hen stori enwog am y tir yn codi yn Llanddewibrefi, felly. Hyd yn oed pe baem ni'n cydnabod bod rhai elfennau chwedlonol yn perthyn iddi, fyddech chi am golli'r stori honno am byth o lenyddiaeth ein cenedl? Go brin!

B.

A chaniatáu bod peth gwirionedd yn yr hyn 'rydych chi'n ei ddweud, 'fedra'i ddim dod gyda chi bob cam o'r ffordd. 'Dŷch chi ddim wedi fy argyhoeddi i yn llwyr. Yn un peth 'rŷch chi'n cyfeirio at *Fuchedd Dewi* fel ffynhonnell llawer o'r storïau am Dewi Sant. Ond, fel y gwyddoch chi, 'chafodd y Fuchedd ddim mo'i hysgrifennu tan rhyw bum can mlynedd ar ôl cyfnod Dewi, ac mae pum can mlynedd yn gyfnod hir. Mae hanes yn gallu cael ei wyro a'i drawsnewid wrth edrych arno o safbwynt person sy'n byw bum canrif yn ddiweddarach.

Onid llyfr propaganda oedd *Buchedd Dewi* yn llaw Rhygyfarch ei hawdur, i ryw raddau? 'Rwy'n credu imi ddarllen yn rhywle — cywirwch fi os ydw' i'n cyfeiliorni — mai bwriad Rhygyfarch wrth ysgrifennu'r *Fuchedd* oedd ceisio sicrhau annibyniaeth Tyddewi, a'r hen Eglwys Geltaidd, ar Gaergaint?

A.

Ie, 'rydych chi yn llygad eich lle. Dyna *oedd* bwriad Rhygyfarch. Ysgrifennodd y *Fuchedd* yn fuan wedi i'r Normaniaid goncro Lloegr. Mae'n wir nad oedden' nhw ddim wedi goresgyn Cymru, er i Wiliam y Concwerwr ymweld â Thyddewi, yn ôl pob sôn, a bwrw ei lygad eiddigeddus dros erwau'r Gorllewin.

Efallai bod Wiliam y Concwerwr o'r farn y gallai oresgyn Cymru hefyd pe bai'n llwyddo i berswadio'r hen Eglwys Geltaidd i fod yn ddarostyngedig i awdurdod Caergaint. I ateb y bygythiad hwnnw y cyhoeddodd Rhygyfarch y *Fuchedd* ac fe'i cyhoeddodd yn y Lladin er mwyn i ysgolheigion y gwledydd cylchynol allu deall ei neges. Ei fwriad oedd dyrchafu enw a bri Eglwys hynafol y Cymry, a gogoneddu'r hen seintiau Celtaidd, ac yn arbennig ogoneddu enw Dewi, gan sôn am y llu eglwysi a sefydlwyd ganddo, a'r gwyrthiau a oedd yn gysylltiedig â'i enw.

Onid oedd Tyddewi'n ddarostyngedig i awdurdod llawer uwch na Chaergaint; ac uwch na Rhufain, hyd yn oed? 'Roedd yn ddarostyngedig i neb llai na Phatriarch Jerwsalem, y Ddinas Sanctaidd ei hun! Yn wir, fe haerodd Rhygyfarch i Dewi fynd ar bererindod i Jerwsalem, ac iddo gael ei ddyrchafu'n esgob gan Batriarch y Ddinas Sanctaidd.

B.

Yn hollol! Dyna'r union beth yr oeddwn i'n ceisio'i ddweud. 'Rydych chi wedi clensio 'nadl i! Dyna pam 'roeddwn i'n dweud mai llenyddiaeth bropaganda oedd *Buchedd Dewi* yn llaw Rhygyfarch. A pha werth sydd i lenyddiaeth felly, a faint o goel sydd iddi fel hanes?

A.

Yr ateb i'ch cwestiwn chi ydi: yr un faint o goel ag i lawer o'r traddodiadau eraill sydd wedi tyfu ym mywyd cenedl. Faint o goel sydd i lên gwerin Cymru, ac i chwedlau'r Mabinogion? Cymaint tlotach fyddai'n cenedl ni heb y chwedlau a'r traddodiadau hyn sydd wedi bod yn gymaint o ysbrydoliaeth i lenor a dramodydd ac arlunydd!

A pheth arall, nid Rhygyfarch yw'r unig hanesydd erioed a fu'n bropagandydd o blaid ei gred. Mae llawer iawn o blant Cymru wedi cael eu magu ar bropaganda'r Ymerodraeth Brydeinig mewn gwersi hanes, ar hyd y blynyddoedd. Fe ellid dadlau bod gan bob hanesydd ei safbwynt, a phryd glywsoch chi am hanesydd sy'n gwbl ddi-duedd?

B.

Mae'n rhaid imi gyfaddef eich bod chi o fewn y dim â'm hargyhoeddi. Ond dywedwch i mi: ar ôl cael gwared â'r haenau chwedlonol i gyd, a didoli'r grawn yn llwyr oddi wrth yr us, a oes darlun credadwy o Dewi Sant yn goroesi?

A.

Beth am i un o haneswyr ablaf ein cenedl gynnig ei ateb ei hun i'ch cwestiwn? 'Dewi Sant,' meddai Glanmor Williams, 'yw'r gŵr a wnaeth fwy na neb i uno cenedl y Cymry.' Ac fe wnaeth hynny, nid trwy ei gynnig ei hun i fod yn arweinydd milwrol i'w bobl, er bod digon yn barod i wneud hynny yng Nghymru'r chweched ganrif. 'Roedd rhyfel yn ffordd o fyw i unrhyw un a oedd yn dymuno bod yn bennaeth ar lwyth neu ardal, ac arfer y cyfnod oedd i ryw ŵr cryfach na'i gilydd gasglu gosgordd o wŷr o'i amgylch i ymlid y Gwyddel neu'r Sais. Ac os nad oedd Gwyddel neu Sais yn bygwth, gellid ymladd â llwythau brodorol eraill.

Ond ymwrthod â'r ffordd honno wnaeth Dewi, a dewis ffordd arall, amgenach o lawer: ffordd y mynach yn ei gell, a'i lygad ar goncro calonnau dynion, a denu disgybl neu ddau i'w ganlyn yn enw'r Efengyl, a dilyn bywyd o weddi ac ympryd, ac ys dywed Gwenallt,

> yn rhodio o sir i sir fel sipsi Duw
> Â'r Efengyl a'r Allor ganddo yn ei garafán.

Fe sefydlodd eglwysi lu trwy Ddyfed i gyd ac aeth ei gwlt ar led trwy Gymru, a thu hwnt iddi. Ac yn *Llyfr Ancr Llanddewibrefi* mae darn o'i bregeth wedi goroesi, a'r bregeth honno'n ffitio ei berson fel maneg:

> Frodyr a chwiorydd, byddwch lawen, a chedwch eich ffydd a'ch cred, a gwnewch y pethau bychain a glywsoch ac a welsoch gennyf fi.

Diweddglo

> Gall, fe all y Cymro ymfalchïo yn ei nawddsant:
>
> mae Dewi Sant yn pledio achos Iesu Grist a'i Eglwys, gan haeru y gall y bach a'r eiddil fod yn gell gobaith i genedl;
>
> mae'n pledio achos y genhadaeth Gristnogol, dyhead y disgybl i gyfrannu i eraill lawenydd yr Efengyl, ac i sefydlu eglwysi, gan droi'r anialwch yn dir ffrwythlon, a phlannu had mewn tir diffaith;
>
> mae'n pledio grym esiampl y Cristion ymroddedig, a'r esiampl honno, hyd yn oed yn y pethau bychain, yn dylanwadu ar eraill;
>
> ac mae'n pledio'r fraint a'r cyfrifoldeb sydd gan y Cristion ym mhob oes: y fraint o gael 'bod yn llawen', a'r cyfrifoldeb i 'gadw'r Ffydd'.

Emyn

Dros Gymru'n gwlad, O! Dad, dyrchafwn gri, —
Y winllan wen a roed i'n gofal ni;
D'amddiffyn cryf a'i cadwo'n ffyddlon byth,
A boed i'r gwir a'r glân gael ynddi nyth;
Er mwyn dy Fab a'i prynodd iddo'i Hun,
O! crea hi yn Gymru ar dy lun.

Lewis Valentine

Y Fendith

Yr ydych chwi yn hil etholedig, yn offeiriadaeth frenhinol, yn genedl sanctaidd, yn bobl o'r eiddo Duw ei hun i hysbysu gweithredoedd ardderchog yr Un a'ch galwodd chwi allan o dywyllwch i'w ryfeddol oleuni ef. Gras fyddo gyda chwi oll. Amen.

'RHWYGWCH EICH CALON, NID EICH DILLAD'

Y Sul Cyntaf yn Nhymor y Grawys

Brawddegau

'Yn awr,' medd yr Arglwydd,
'dychwelwch ataf â'ch holl galon,
ag ympryd, wylofain a galar.
Rhwygwch eich calon, nid eich dillad,
a dychwelwch at yr Arglwydd eich Duw.'

Dywedodd Iesu: 'A phan fyddwch yn ymprydio, peidiwch â bod yn wynepdrist fel y rhagrithwyr; y maent hwy'n anffurfio eu hwynebau er mwyn i ddynion gael gweld eu bod yn ymprydio. Yn wir, 'rwy'n dweud wrthych, y mae eu gwobr ganddynt eisoes. Ond pan fyddi di'n ymprydio eneinia dy ben a golch dy wyneb . . .'

Emyn

Tyred, Iesu, i'r anialwch,
At bechadur gwael ei lun,
Ganwaith ddrysodd mewn rhyw rwydau –
Rhwydau weithiodd ef ei hun;
Llosg fieri sydd o'm cwmpas,
Dod fi i sefyll ar fy nhraed;
Moes dy law, ac arwain drosodd
F'enaid gwan i dir ei wlad.

W. Williams

Darlleniadau

Eseia 58:5-9
Luc 9:22-25
1 Corinthiaid 9:24-27

Emyn

O'th flaen, O! Dduw, 'rwy'n dyfod
  Gan sefyll o hir-bell;
Pechadur yw fy enw –
  Ni feddaf enw gwell;
Trugaredd wy'n ei cheisio,
  A'i cheisio eto wnaf,
Trugaredd imi dyro,
  'Rwy'n marw onis caf.

Thomas William

Gweddi

Arglwydd, ynghyd â'r Eglwys dros wyneb y ddaear, deuwn atat yn nhymor y Grawys i'th addoli a'th fawrhau, yn enw Iesu Grist dy Fab. Plŷg ni mewn defosiwn ac ufudd-dod, ac mewn cydnabyddiaeth o'th allu a'th ras.

Wrth ddwyn i gof mai ag aberth drud y'n prynwyd, ac wrth olrhain, yn y tymor hwn, lwybr dioddefaint Iesu Grist i gyfeiriad ei groes, boed inni ddiosg pob ymffrost a balchder ger dy fron, a gwisgo amdanom y gostyngeiddrwydd sy'n gweddu i bechaduriaid. Deued edifeirwch i'n rhan o wybod maint ein trosedd a'n hanufudd-dod. A phâr inni ymostwng ger dy fron, o'n gwirfodd ac yn ewyllysgar, neu ynteu oherwydd pwysau'r amgylchiadau blin a'r poen sydd wedi'n goddiweddyd, megis y daeth dioddefaint i ran ein Harglwydd.

Ymostwng di yn awr,
  Fy enaid, dan dy loes;
A chofia'r Iesu mawr
  Ar lwybrau'r ardd a'r groes.

A'n gweddi yw ar i ti ein 'plygu'n enw'r Nef i'th gudd arfaethau' di.

Bydd gyda ni i'n tywys trwy fyfyrdod a gweddi'r tymor, ei ympryd a'i elusen, ei gyfle i edifarhau ac i rodio'n gywir ger dy fron. Tro ein hedifeirwch yn ddymuniad i gyflawni dy ewyllys; ein hanniddigrwydd yn benderfyniad i ryngu dy fodd; ein poen yn ysgogiad newydd; ein profiadau chwerw yn wawr gobaith. Arwain ni, O! Dduw, yn dy drugaredd, heibio i ing yr Ardd, a sarhad y Prawf, a dioddefaint blin y Groes at orfoledd yr Atgyfodiad. Gofynnwn hyn yn enw Iesu

Grist, yr Oen a aberthwyd dros ein pechodau, a'n dysgodd, pan yn gweddïo, i'th gyfarch fel hyn:

Ein Tad, yr hwn wyt yn y nefoedd . . . Amen.

Emyn

> Arglwydd Iesu, gad im' deimlo
> Rhin anturiaeth fawr y groes:
> Yr ufudd-dod perffaith hwnnw –
> Wrth wynebu dyfnaf loes;
> Yr arwriaeth hardd nad ofnai
> Warthrudd a dichellion byd;
> O! Waredwr ieuanc, gwrol,
> Llwyr feddianna Di fy mryd.
>
> *J. Tywi Jones*

Anerchiad yn sylfaenedig ar thema'r Grawys

Yn union ar ôl ei Fedydd, a chyn iddo ymroi i'w weinidogaeth gyhoeddus, aeth Iesu i'r Anialwch. Yno, am ddeugain dydd a deugain nos, bu'n ymprydio, a chael ei brofi gan un y mae awduron yr Efengylau yn ei alw'n 'demtiwr' neu'n 'ddiafol'. Go brin y dylem ddeall y cyfeiriad at 'y deugain dydd a'r deugain nos' yn llythrennol; yn hytrach sôn am gyfnod sylweddol o amser y mae'r Efengylau sy'n cofnodi'r stori. Bu tri themtiad i gyd: y cyntaf yn yr anialwch, a'r ail ar binacl y Deml, a'r olaf ar ben mynydd uchel. Dyna drefn Mathew, ac wrth osod y tri themtiad mewn trefn, yn esgyn o ris i ris, yr awgrym yw bod y frwydr eneidiol yn dwysáu gyda threigl y tymor o brawf.

Mae'n amlwg bod i'r stori haenau trwchus o ystyr. Sylwodd esbonwyr ei bod yn dwyn i gof y prawf a fu ar Israel yn yr Anialwch ar ei ffordd o'r Aifft i Ganaan, gan adleisio Llyfr Deuteronomium, ac yn arbennig, ddwy adnod yn y llyfr hwnnw, sef 8, adnodau 2 a 3:

> Cofiwch yr holl ffordd yr arweiniodd yr Arglwydd eich Duw chwi *yn ystod y deugain mlynedd hyn yn yr anialwch, gan eich darostwng a'ch profi* er mwyn gwybod a oeddech yn bwriadu cadw ei orchmynion ai peidio. *Darostyngodd chwi a dwyn newyn arnoch . . .*

Dim ond rhywun sydd wedi bod trwy'r profiad all ddweud beth yw ystyr 'mynd trwy'r Anialwch'. Gall yr Anialwch ein dinistrio ni a'n sarnu;

gall hefyd wneud person cyflawn ohonom ni, a magu asgwrn cefn na wyddem ni ein hunain ein bod yn feddiannol arno. Dyna a ddigwyddodd i Israel. Fe aeth Israel i'r Anialwch yn ffederaliaeth ddigon di-sut o lwythau, ond erbyn iddi ddod allan o'r Anialwch yr oedd hi ar ei ffordd i fod yn genedl. A phwy a ŵyr nad ychwanegodd Iesu yntau gufydd at faintioli ei enaid ym mhrawf yr Anialwch? Ym mhrofiad Israel a Iesu, fel ei gilydd, bu'r frwydr yn un galed, rhwng cnawd ac ysbryd; rhwng corff ac enaid; rhwng sibrydion diafol a chymhellion Duw.

*   *   *

Ar hyd y canrifoedd, mae Eglwys Iesu Grist wedi cadw'r frwydr honno rhwng Crist a diafol gerbron llygad ei chof trwy neilltuo cyfnod tebyg o ran ei hyd, i ddiben gweddi, a myfyrdod ac ympryd. Yr enw ar y tymor hwnnw yw'r Grawys, sef y tymor o ddeugain niwrnod sy'n arwain at y Pasg. Yn wir, dyna ystyr y gair, oherwydd daw'r gair Cymraeg 'Grawys' o air Lladin *'quadragesima'*, yn golygu 'deugain'. Mae gan y Sais ddull gwahanol o gyfeirio at y tymor, gan iddo'i alw'n *'Lent'*, hen derm sy'n perthyn yn agos i'r gair Saesneg *'length'* a *'lengthen'*, am mai yn y Gwanwyn, pan fo'r dydd yn 'ymestyn', y digwydd y tymor hwnnw.

Mae cadw'r Grawys yn hen, hen arfer, bellach. Awgrymodd rhywrai i'r arfer ddechrau fel disgyblaeth a osodwyd ar ymgeiswyr am aelodaeth yn yr eglwysi, i'w paratoi ar gyfer Sul y Pasg, pan gaent eu derbyn i mewn i'r gymdeithas eglwysig am y tro cyntaf. Gyda threigl y blynyddoedd gwelwyd bod angen cysoni'r ddisgyblaeth, a phenderfynu ynghylch parhad tymor y paratoi. A hyd y tymor a dreuliodd Iesu yn yr Anialwch yn ei frwydr â'r temtiwr, sef deugain niwrnod, hynny a droes y fantol yn y diwedd.

Mae'n bosibl mai ychydig yw nifer y Cristnogion hynny, bellach, sy'n ymroi i gadw disgyblaeth y Grawys yn gydwybodol ac yn drylwyr. Ond os nad oes llawer yn ymprydio megis cynt, y mae lle i gredu bod rhywrai'n ymwrthod â gwledda a rhialtwch yn ystod y tymor hwn o'r flwyddyn, ac eraill yn gwneud penyd am eu pechodau, neu'n ymroi i weithgarwch crefyddol megis addoli, gweddïo, a darllen llenyddiaeth ddefosiynol. O leiaf, ceir *adlais* o'r hen ddisgyblaeth gynt ym mywydau rhai Cristnogion defosiynol o hyd, bendith arnyn' nhw!

Gyda llaw, mae'n ddiddorol sylwi nad yw ymprydio'n ddisgyblaeth sy'n gyfyngedig i Gristnogaeth yn unig. Fe gofiwn i Gandhi, yr Hindw selog, roi bri mawr ar yr arfer, a bod y Mwslim yn neilltuo Ramadan fel tymor pan yw'r ffyddloniaid yn ymprydio o wawr hyd fachlud. Mor eironig yw ein dibyniaeth ar selogion crefyddau eraill i'n hatgoffa, bellach, o werth arfer a fu unwaith mewn bri o fewn y Ffydd Gristnogol. Un o'r selogion hynny a ddywedodd yn ddiweddar:

> Pan fo'r stumog yn wag, cawn olwg newydd ar ein hofnau a'n gobeithion, ein petruster a'n cyfyng-gyngor; mae ymprydio'n ein herio i dynnu oddi ar y gronfa ddofn o adnoddau ysbrydol sydd ynghudd ym mynwes pob un ohonom; mae'n ein hatgoffa, yng nghanol ein marsiandïaeth a'n masnachu gorffwyll, a'r magu bloneg a ddaw o ddibynnu'n ormodol ar foethau, fod modd inni fyw heb y moethau hynny; mae'r ddisgyblaeth yn ein hatgoffa hefyd am y miliynau sy'n gwybod am wayw'r bol gwag, nid am dymor, ond am oes, a hynny, nid o ddewis, ond o raid.

Rhaid cyfaddef fod ymprydio wedi mynd yn arfer dieithr iawn i Anghydffurfwyr Cymru. Yn ein golwg ni, rhywbeth a oedd yn nodweddu Pabyddion ac Uchel-eglwyswyr fu ymprydio, ar hyd y blynyddoedd, a 'doedd gan y Tadau Anghydffurfiol fawr i'w ddweud wrth yr arfer, nac am y gwyliau eglwysig yn gyffredinol, o ran hynny.

Erbyn hyn, daeth tro ar fyd. Bellach, dilynir y Flwyddyn Eglwysig nid yn unig mewn gwasanaeth Eglwys, ond mewn gwasanaeth capel hefyd. Ceir awgrym ar ôl awgrym fod yr Anghydffurfwyr, wrth addoli, wedi dihuno i'r gwirionedd nad hawlfraint un enwad neu draddodiad yn unig yw cadw'r Grawys, a'r Adfent, a'r Nadolig a'r Pasg a'r Sulgwyn, ond rhan o'r etifeddiaeth sy'n eiddo i bob traddodiad enwadol ac eglwysig. Mae'n amlwg ein bod wedi cerdded ymhell iawn o'r dyddiau pan oedd David Rees, Capel Als, yn taranu yn erbyn cadw gŵyl ar adeg y Nadolig a'r Pasg fel enghraifft o 'ffug-sancteiddrwydd' a 'rhan o'r tywyllwch Pabaidd'. Ac felly, o gam i gam, daethom i gladdu ein rhagfarnau ac arddel y gynhysgaeth yr ydym yn gyd-etifeddion ohoni.

*   *   *

Pe baem yn troi tudalennau ein calendrau fe welem dystiolaeth i'r ffaith fod tymor y Grawys wedi chwarae rhan amlwg ym mywyd cenedl y

Cymry ar un adeg. Oherwydd 'roedd Dydd Mawrth Ynyd a Dydd Mercher y Lludw yn ddau ddiwrnod pwysig iawn yn y calendr eglwysig. Ond yr oeddent yn ddau ddiwrnod pur wahanol i'w gilydd: Y Dydd Mawrth yn ddydd llawenydd a gwledda, a'r Dydd Mercher yn ddydd o ymddisgyblu ac ympryd.

Sut, felly, y mae dau ddiwrnod mor wahanol yn dilyn mor glos wrth sodlau ei gilydd? Yr ateb yw mai Dydd Mercher y Lludw yw diwrnod cyntaf tymor y Grawys; lludw edifeirwch sy'n nodweddu'r diwrnod hwnnw, am ei fod yn gosod y cywair ar gyfer y tymor o'r flwyddyn sydd yn arwain at yr Wythnos Fawr, a Dioddefaint y Groglith, hyd at fore Sul y Pasg.

Yn y gyfrol *'Crwydro Maldwyn,'* o waith T.I. Ellis, adroddir stori am un o hen gymeriadau Cwm Twrch, flynyddoedd maith yn ôl, yn bugeilio'i ddefaid yn gynnar rhyw fore, ac yn cyfarfod â'r hen ŵr Sion Williams, Dôl-y-gaseg, a oedd er mawr syndod i'r cymydog, yn droednoeth, a lludw ar ei ben moel a'i dalcen.

'Be' ydi hyn, Sion Williams?' gofynnodd y cymydog iddo. 'Lle ma'ch sgidie chi a ble cawsoch chi y lludw yne ar eich talcen?'

'Wyddost ti pwy ddiwrnod ydi heddiw?' gofynnodd yntau.

'Dydd Mercher, yntê,' ebe finnau.

'Ie, cofia mai Dydd Mercher y Lludw ydi hi.' Ac aeth rhagddo i egluro 'Weld di, 'machgen i, mae pobl Dôl-y-gaseg wedi bod yn mynd i'r mynydd bob Dydd Mercher Lludw er erio'd a chyn hynny am wn i.'

Ond beth am Ddydd Mawrth Ynyd? Ar y diwrnod hwnnw, byddai'r ffyddloniaid yn mynd i'r eglwys i gyffesu, a gwneud penyd am eu pechodau gerbron yr offeiriad. Dyna ystyr y term Saesneg *'Shrove Tuesday'*. Bellach yr oeddent yn barod i wynebu disgyblaeth ac ympryd tymor y Grawys. Ac arwyddocâd cyffelyb sydd i'r term Cymraeg, Dydd Mawrth Ynyd, oherwydd daw'r term 'Ynyd' o'r gair Lladin *'initium',* yn golygu 'dechrau'.

Yr oedd, serch hynny, un gorchwyl arall yn aros i'w gyflawni. Rhaid oedd casglu'r holl fwyd bras a oedd yn weddill ar yr aelwyd, a'i ddefnyddio cyn tymor ympryd y Grawys, rhag bod neb yn cael ei demtio i dorri'r ympryd! O'r braster hwnnw, yn llaeth, ac wyau, a blawd, a menyn a chig y gwnaed y crempog (ffrois, cramwyth, pancos) a oedd yn gymaint o enllyn ar y diwrnod hwnnw. A dyna beth fyddai gwledda! Soniodd Thomas Jones, yr Almanaciwr am bobl yn yr ail ganrif

73

ar bymtheg yn 'torri'u boliau wrth fwyta crempog'. A'r un arfer o gael gwared â'r bwyd bras oedd yn weddill sy'n gefndir i'r term a ddefnyddir gan y Ffrancwr am y dydd hwnnw, sef *'Mardi Gras'*, neu 'Ddydd Mawrth Bras'.

Wedi'r holl wledda, byddai rhywrai'n ymgolli mewn rhialtwch a charnifal am yr oriau a oedd yn weddill i'r diwrnod, gan roi mynegiant ysgafnach i lawenydd y dydd, yn enwedig o gofio'r cywair mwy difrifol, a phruddaidd a gâi ei daro trannoeth. A byddai'r offeiriad yntau'n nodi'r trawsgyweiriad, gan ddiosg ei wenwisg arferol, a rhoi amdano'r wisg o borffor a fyddai'n gweddu'n fwy priodol i dymor y Grawys.

*   *   *

Beth bynnag yw hanes y Grawys, a'r elfennau amrywiol, o oes bell, sydd wedi eu gwau a'u plethu i frodwaith amryliw y tymor eglwysig, mae ystyr y tymor yn eglur. Y Grawys yw tymor y paratoad ar gyfer yr Wythnos Fawr, a'r Atgyfodiad sy'n ei dilyn. Ei neges i bawb ohonom yw na fedrwn ni ddim cerdded i mewn i ddirgelwch cysegredig Gŵyl yr Atgyfodiad—gŵyl fwyaf Eglwys Iesu Grist, heb baratoi—ac yn bwysicach fyth—*ym*baratoi ar ei chyfer. A gŵyr Duw fod angen disgyblaeth tymor y Grawys arnom ni i gyd, a lludw ei edifeirwch, heb sôn am ei ympryd a'i weddi. Ac fel yr hen broffwyd gynt, byddai'n burion peth i Eglwys Iesu Grist ailddarganfod ei swydd broffwydol a galw ei phobl i *wir* ympryd, nid rhyw esgus o beth. 'Rhwygwch eich calon, nid eich dillad,' meddai Joel, gynt. Ym maes edifeirwch, 'dyw *'token'* ddim yn gwneud y tro!

Mae'n wir, gwaetha'r modd, fod llawer iawn o bobl erbyn hyn yn dal i arddel rhialtwch y *Mardi Gras,* a ffest Gŵyl y Crempog, ond wedi hen anghofio ympryd a disgyblaeth Dydd Mercher y Lludw, a'r Grawys sy'n ei ddilyn. Ond, diolch i'r drefn, ceir rhywrai o hyd sydd nid yn unig yn sylweddoli, ond hefyd yn arddel gwir ystyr y Grawys fel yr 'Ystafell Gyntedd' sy'n ein tywys i orfoledd a helaethrwydd Neuadd Wledd yr Atgyfodiad. Mae'n wir fod yr ystafell gyntedd honno'n dywyll, ac yn foel o bob addurn. Ei hunig liw yw porffor y Brenin Dioddefus, a 'does dim blodau ar ei hallor. Ond i'r rhai hynny sy'n cofio mai mynedfa yw hi, yn arwain i bresenoldeb y Crist Atgyfodedig, y mae elw i'w gael o dramwy trwyddi. Oes, i Babydd a Phrotestant, i Uchel-eglwyswr *ac* i Anghydffurfiwr!

Emyn

Cymer, Arglwydd, f'einioes i
I'w chysegru oll i Ti;
Cymer fy munudau i fod
Fyth yn llifo er dy glod.

F.R. Havergal (cyf. J. Morris-Jones)

Y Fendith

'Eneinia dy ben a golch dy wyneb, fel nad dynion a gaiff weld
dy fod yn ymprydio, ond yn hytrach dy Dad sydd yn y dirgel;
a bydd dy Dad sydd yn y dirgel yn dy wobrwyo.' A gras fyddo
gyda chwi oll! Amen.

SAITH YMADRODD Y GROES
Myfyrdod ar gyfer Sul y Blodau

Gweddi agoriadol

Bendithia ni, O! Arglwydd, ar ddechrau'r Wythnos Fawr, a ninnau'n cofio am ddioddefaint ein Harglwydd Iesu Grist, mai dros bechaduriaid fel ni y dug ef ei ddoluriau:

> Ni wyddom ni, ni allwn ddweud,
>   Faint oedd ei ddwyfol loes,
> Ond credu wnawn mai trosom ni
>   Yr aeth efe i'w groes.
>
> Amen.

Emyn

> Draw, draw ymhell mae gwyrddlas fryn
>   Tu faes i fur y dref,
> Lle'r hoeliwyd Iesu annwyl gynt,
>   O'i fodd, i'n dwyn i'r nef.
>
> *C.F. Alexander (cyf. Elfed)*

Darlleniad

> Ioan 19:17-30

Emyn

> Cof am y cyfiawn Iesu,
>   Y Person mwyaf hardd,
> Ar noswaith drom anesmwyth
>   Bu'n chwysu yn yr ardd;
> A'i chwys yn ddafnau gwaedlyd
>   Yn syrthio ar y llawr:
> Bydd canu am ei gariad
>   I dragwyddoldeb mawr.
>
> *William Lewis*

Gweddi

Ein Tad, graslon a thrugarog, plygwn i'th ewyllys mewn oedfa newydd, wrth geisio d'addoli di, a'n gosod ein hunain ar lwybr dy feddwl ac ar allor dy wasanaeth. Na foed neb ohonom yn ddibris o'r fraint sy'n eiddo inni: ein bod ni, yn ein cnawd meidrol, yn gallu cael cymundeb trwy weddi ag un sy'n Ysbryd anfeidrol. Fel y Salmydd gynt, rhyfeddwn ninnau hefyd i ti roi clust i'n cwyn:

Dyma un isel a waeddodd, a'r Arglwydd yn ei glywed
ac yn ei waredu o'i holl gyfyngderau.

Heddiw, clyw ein llef wrth inni fyfyrio ar ddigwyddiadau'r Wythnos Fawr, a dwyn i gof mai trwy bris mawr y'n prynwyd ni oddi wrth ein pechodau. Mewn diolchgarwch cyffeswn mai croes dy Fab, Iesu Grist, a'i ddioddefiadau trosom, oedd yr hyn a dalwyd er ein mwyn, ac er mwyn pechaduriaid yr oesau.

Ymunwn gyda'th blant ym mhob rhan o'n daear, i fyfyrio ar dy glwyfau, ac i sugno rhin o'r profiad: gyda'r addolwr wrth yr allor; gyda'r cerddor wrth yr offeryn a'r arlunydd trwy ei grefft; gyda'r carcharor yn ei gell; gyda'r ffoadur yn ei drueni; gyda'r claf yn ei boenau; gyda'r hiraethus yn ei alar; gyda'r unig yn ei gaethiwed. Cofiwn, yn ddiolchgar, nad oes un stad na chyflwr yn ein hanes all ein gwahanu oddi wrth gydymdeimlad a thosturi dy Fab, Iesu Grist, gan iddo rannu poen, unigrwydd ac alltudiaeth plant y llawr yn ystod ei ddyddiau ar ein daear.

Bydd gyda ni, O! Dduw, wrth inni dreulio dyddiau'r wythnos hon, heibio i'r Groglith, ac at fore'r Atgyfodiad. Sancteiddia ein dychymyg i gofio a thrysori; argraffa'r digwyddiadau ar ein calon, a dyro inni glywed eto eiriau bywiol yr Arglwydd Iesu Grist yn cyrraedd trwy'r glust at y galon, gan ddwyn gobaith i ninnau yn ing a thrallod ein cyflwr. A boed y myfyrio hwn yn foddion bywyd i'th Eglwys, yma yng Nghymru, a ledled y ddaear, er mwyn iddi weld ei llwybr yn eglur, a deall i ti ei hethol yn llawforwyn i'th wasanaethu. Gwna hi'n Eglwys sydd ar bererindod yn ein byd, a'i nod a'i hanel yn sicr, yn cefnu ar gysur a hunan-les er mwyn anturio i blith y tlawd, a'r enbydus a'r colledig i'w gwasanaethu.

Clyw ein hymbil, dirion Arglwydd, ac ateb ein gweddi, gan faddau'n bai yn enw Iesu Grist, a'n dysgodd, wrth weddïo, i ddweud:

Ein Tad, . . . Amen.

Emyn

> I Galfaria trof fy wyneb —
> Ar Galfaria, gwyn fy myd!
> Y mae gras ac anfarwoldeb
> Yn diferu drosto'i gyd:
> Pen Calfaria,
> Yno f'enaid gwna dy nyth.

Dyfed

Myfyrdod ar Saith Ymadrodd y Groes

Ar y Sul hwn, sef Sul y Blodau, fe gofiwn Iesu Grist yn marchogaeth ar asyn i mewn i Jerwsalem. Daeth yno, nid fel brenin yn arwain byddin, i goncro'r ddinas, ond fel brenin llariaidd, yn deisyf heddwch y ddinas, ac yn barod i farw trosti — a throsom ninnau.

Mae'n sylw yn cael ei hoelio, yn yr oedfa hon, ar y farwolaeth ryfeddol honno, a'i harwyddocâd. Nid cofnodi'r digwyddiad yn unig a wnaeth awduron y pedair Efengyl. Aethant ati, yn ogystal, i gofnodi'r geiriau a lefarwyd gan Iesu oddi ar ei groes, yn union fel pe baen' nhw am ddrachtio pob diferyn o ystyr o'r geiriau olaf a lefarwyd ganddo.

Ac 'rŷm ninnau am wneud rhywbeth tebyg. Fe'ch gwahoddwn chi i fyfyrio ar

'Saith Ymadrodd y Groes',

sef y brawddegau a ddaeth dros wefus Iesu Grist adeg ei ddioddefaint olaf.

(Awgrymir rhannu'r adrannau dilynol rhwng saith person. Gellir gofyn i berson arall ddarllen yr adnodau o'r Ysgrythur sy'n cynnwys y Saith Ymadrodd.)

Yr Ymadrodd cyntaf: Cyfarchiad Iesu i'w fam, ac i'r disgybl yr oedd yn ei garu

> *Pan welodd Iesu ei fam, felly, a'r disgybl yr oedd yn ei garu yn sefyll yn ei hymyl, meddai wrth ei fam, 'Wraig, dyma dy fab di.' Yna, dywedodd wrth y disgybl, 'Dyma dy fam di.' Ac o'r awr honno, cymerodd y disgybl hi i mewn i'w gartref. (Ioan 19:26-27).*

Fe glywsom ni i gyd am rywrai yn rhoi eu tŷ mewn trefn cyn marw. Ceir awgrym fod Iesu wedi gwneud rhywbeth tebyg, oherwydd un o'r pethau olaf a wnaeth yn ystod ei fywyd daearol oedd gwneud darpariaeth ar gyfer ei fam.

78

Mae lle i gredu mai gwraig weddw oedd hi erbyn hyn, a phryd hynny, fel heddiw, gallai'r weddw fod ar drugaredd byd digon creulon. Ond gwyddai Iesu fod un wrth law a allai fod yn ymgeledd iddi, yr un y cyfeirir ato, yn gryptig, fel 'y disgybl yr oedd Iesu'n ei garu'. Mae'n eithaf tebyg mai Ioan, mab Sebedeus oedd hwnnw. Testun rhywfaint o syndod, efallai, oedd mai i ofal hwnnw, yn hytrach nag i ofal ei frodyr a'i chwiorydd ei hun yr ymddiriedodd Iesu y cyfrifoldeb hwn.

Yn wir, awgrymodd rhywrai nad hanesyn syml a geir yma am Iesu'n ymddiried gofal ei fam i'w ddisgybl, ond bod y 'fam' yn symbol o'r 'hen grefydd', sef Iddewiaeth, a'r 'disgybl' yn symbol o'r 'grefydd newydd', sef Cristnogaeth. Cyn marw, 'roedd gan Iesu rywbeth i'w ddweud wrth y naill a'r llall. Wrth Iddewiaeth, mae'n dweud, 'Dyma dy fab di', gan awgrymu mai'r grefydd newydd, Cristnogaeth, yw gwir etifedd hen grefydd draddodiadol yr Iddew. Ac mae'n dweud wrth y Gristnogaeth newydd: 'Dyma dy fam di', sef siars ar iddi beidio ag anghofio'r groth y daeth y grefydd newydd ohoni.

Ond efallai nad oes dim mwy yn y geiriau a lefarodd Iesu nag enghraifft o'i barch a'i ofal — a hynny yn awr ei ing ei hun — at yr un a'i dug i'r byd. Nid oedd am ei gadael yn gyfangwbl ar drugaredd dynion. Hyd yn oed ar ei groes, 'doedd Iesu ddim mor arallfydol ei fryd fel nad oedd ganddo na'r awydd na'r diddordeb i roi sylw i'r rheffynnau personol a theuluol hynny oedd yn ei glymu â'r ddynolryw.

Yr Ail Ymadrodd: Gweddi am faddeuant i'w elynion

Daethpwyd ag eraill hefyd, dau droseddwr, i'w dienyddio gydag ef. Pan ddaethant i'r lle a elwir Y Benglog, yno y croeshoeliwyd ef a'r troseddwyr, y naill ar y dde a'r llall ar y chwith iddo. Ac meddai Iesu, 'O Dad, maddau iddynt, oherwydd ni wyddant beth y maent yn ei wneud.' (Luc 23:32-34).

Mae'n golygu gwroldeb a mawrfrydigrwydd o'r radd flaenaf i berson allu gofyn i Dduw faddau i'r union elynion hynny sy'n gyfrifol am ddwyn bywyd y person hwnnw oddi arno. 'Fedrwn ni ddim ond cyffwrdd ag ymylon y maddeuant hwnnw. Meddylier am faddau i Pontius Peilat am ildio i fygythion yr Iddewon: 'Os wyt yn rhyddhau'r gŵr hwn, nid wyt yn gyfaill i Gesar'. Neu faddau i'r dorf am ei gwamalrwydd yn bradychu'r Glanaf a welsai erioed: 'Ymaith ag ef,

79

ymaith ag ef, croeshoelia ef'. Neu faddau i'r milwyr oedd yn gamblo am ei ddillad, ac yntau'n marw ar groes uwch eu pennau. 'Roedd ef wedi dod i'r byd i sôn am rannu golud Duw, nid hyd yn oed ar sail cyfiawnder, i bawb yn ôl ei haeddiant, ond ar sail gras, ond 'roedd y rhain am ei rannu ar sail trachwant. Oherwydd onid dyna athroniaeth y loteri: rhoi eitem wrth eitem, a'u lapio'n un parsel deniadol, a'i roi yng nghôl y sawl y mae Meistres Lwc yn gwenu arno, a hynny ar sail y dewis mwyaf mympwyol y gall y meddwl dynol ei ddyfeisio, sef mympwy'r dis?

Ys gwn i pryd y gwawriodd y syniad ar feddwl Iesu Grist y gallai person faddau i'w elynion pennaf? Ai wrth ddarllen disgrifiad Eseia o'r Gwas Dioddefus, a'r modd y bu iddo

> dywallt ei fywyd i farwolaeth
> a chael ei gyfrif gyda'r troseddwyr,
> a dwyn pechodau llaweroedd,
> *ac eiriol dros y troseddwyr?*

Ychydig fisoedd ar ôl y Croeshoeliad, byddai Steffan, merthyr cyntaf yr Eglwys Gristnogol, yn eiriol yn yr un modd dros y troseddwyr hynny a'i rhoes dan y gawod gerrig: 'Arglwydd, paid â dal y pechod hwn yn eu herbyn'. 'Does dim angen gofyn pwy oedd ei batrwm a'i esiampl ef, wrth ddioddef. I lawr y canrifoedd, bu eraill o ferthyron y Ffydd yn dilyn patrwm eu Harglwydd yn hyn o beth. Yn wir, galwyd ein canrif ni yn 'ganrif y merthyron' gan amled y rhai a roes eu bywyd yn aberth dros eu credo. Ond er mor niferus y merthyron Cristnogol, eithriadau prin yw'r rhai a efelychodd eu Harglwydd trwy ofyn i Dduw faddau i'r sawl a'u lladdodd.

Y Trydydd Ymadrodd: Addewid Iesu i'r troseddwr edifeiriol

Yr oedd un o'r troseddwyr ar ei groes yn ei gablu gan ddweud, 'Onid ti yw'r Meseia? Achub dy hun a ninnau.' Ond atebodd y llall a'i geryddu: 'Onid oes arnat ofn Duw, a thithau dan yr un ddedfryd? I ni y mae hynny'n gyfiawn, oherwydd haeddiant ein gweithredoedd sy'n dod inni. Ond ni wnaeth hwn ddim o'i le.' Yna dywedodd, 'Iesu, cofia fi pan ddoi i'th deyrnas.' Atebodd yntau, 'Yn wir, 'rwy'n dweud wrthyt, heddiw byddi gyda mi ym Mharadwys.' (Luc 23:39-43).

Dau droseddwr yn wynebu'r un dynged greulon, ond mor wahanol i'w gilydd: y naill yn cablu, a'r llall yn ymbil! Aeth y gabledd heb ei hateb, gellid credu, ond efallai mai cywirach fyddai dweud mai'r ateb mwyaf huawdl posibl i'r gabledd honno oedd dull Iesu Grist o farw. Yr oedd rhywbeth yn osgo'r troseddwr arall a oedd yn apelio at Iesu. O leiaf 'roedd hwnnw wedi sylweddoli bod dau beth yn wir am y person rhyfeddol oedd yn marw ar groes yn ei ymyl. Yn un peth, 'doedd Iesu ddim yn haeddu marw fel troseddwr, ac at hynny, 'roedd ei holl osgo, rywsut, yn osgo brenin, a hwnnw'n Frenin y byddai'n dda ganddo gael cyfran yn ei Deyrnas. Ac er mawr ryfeddod iddo, mae'n siwr, 'doedd Iesu ddim yn gweld unrhyw rwystr rhag i hynny ddigwydd, a hynny'n ddi-oed. A byth oddi ar hynny, mae drws trugaredd wedi bod ar agor i droseddwyr, hyd yn oed ar yr unfed awr ar ddeg. Dyma neges o obaith yn wir, hyd yn oed i'r gwaelaf o blant dynion!

Unawd

Yr emyn 'Ai am fy meiau i?' (John Elias) ar y dôn *'Bod Alwyn'* (David Jenkins)

Y Pedwerydd Ymadrodd: Cri o galon Mab Duw

A phan ddaeth yn hanner dydd, bu tywyllwch dros yr holl wlad hyd dri o'r gloch y prynhawn. Ac am dri o'r gloch gwaeddodd Iesu â llef uchel, 'Eloï, Eloï, lema sabachthani', hynny yw, o'i gyfieithu, 'Fy Nuw, Fy Nuw, pam yr wyt wedi fy ngadael?' (Marc 15:33-34).

O holl ymadroddion y groes, dyma'r un mwyaf anodd i blymio i ddyfnderoedd cyfrin ei ystyr. Efallai mai dyna pam y mae Marc yn cofnodi ei eiriau yn union fel yr oedd Iesu wedi eu llefaru, yn ei famiaith ei hun, sef yr Aramaeg: *'Eloï, Eloï, lema sabachthani':* 'Fy Nuw, Fy Nuw, pam yr wyt wedi fy ngadael?'

Mae'r term Saesneg yn un da: *'The Cry of Dereliction'*, sy'n awgrymu bod Iesu wedi plymio i ddyfnderoedd isaf y profiad o ddioddefaint dynol nes teimlo bod Duw ei hunan, hyd yn oed, wedi cefnu arno a'i adael. A chafwyd trosiad braf o'r term Saesneg i'r Gymraeg gan Pennar Davies, sef 'Llef y Llwyradawedig'.

Mae rhywrai wedi ceisio lliniaru rhywfaint ar feiddgarwch y geiriau trwy egluro mai dyfynnu geiriau agoriadol Salm 22 a wnaeth Iesu wrth eu hadrodd, ac y dylid meddwl yn nhermau'r Salm gyfan, sy'n gorffen yn orfoleddus ddigon. Aeth ambell un gam ymhellach, ac awgrymu bod holl bechod y byd, am un foment arswydus, wedi dod fel cwmwl tywyll rhwng Iesu a gogoniant ei Dad Nefol.

Efallai mai diosg ein sandalau a ddylem, a chydnabod bod dirgelwch y profiad o ddioddefaint a geir yma, yn fwy na dim byd y gallwn ei amgyffred.

Y Pumed Ymadrodd: Syched Iesu

Ar ôl hyn yr oedd Iesu'n gwybod bod pob peth bellach wedi ei orffen, ac er mwyn i'r Ysgrythur gael ei chyflawni dywedodd, 'Y mae arnaf syched.' Yr oedd llestr ar lawr yno, yn llawn o win sur, a dyma hwy'n dodi ysbwng, wedi ei lenwi â'r gwin yma, ar ddarn o isop, a'i godi at ei wefusau. (Ioan 19:28-29).

Perygl llawer heddiw, yw pwysleisio dyndod Crist ar draul ei Dduwdod. Mae llawer yn barod i dalu gwrogaeth iddo fel dyn arbennig iawn, ond yn amharod iawn i'w alw'n Fab Duw.

Yng nghyfnod Ioan, yr anhawster a gâi llawer oedd credu y gallai Duw ei ddatguddio'i hun mewn person o gig a gwaed. Efallai mai ceisio ateb amheuon y bobl hyn yr oedd awdur y Bedwaredd Efengyl yn ei ddisgrifiad o Iesu wedi ei lethu gan syched adeg ei groeshoeliad. 'Roedd Ioan am bwysleisio bod Iesu wedi cyfranogi'n llwyr o'n cnawd ni.

'Roedd awdur y Bedwaredd Efengyl wedi gweld rhywbeth arall, hefyd, yn y darlun o syched Iesu. 'Roedd y syched ingol hwnnw'n cyflawni'r Ysgrythur. Onid oedd Salm 22 wedi disgrifio un a oedd wedi dweud:

'Y mae fy ngheg yn sych fel cragen
a'm tafod yn glynu wrth daflod fy ngenau'?

Ac onid oedd Salm 69 wedi sôn am gaseion a gelynion

'yn gwneud imi yfed finegr at fy syched'?

Mae'n amlwg, felly fod Ioan, wrth ddarllen Ysgrythurau'r Hen Destament, wedi gweld yno awgrym o syched dioddefus ei Arglwydd.

Y Chweched Ymadrodd: 'Gorffennwyd'

Yna, wedi iddo gymryd y gwin, dywedodd Iesu, 'Gorffennwyd.' Gwyrodd ei ben, a rhoi i fyny ei ysbryd. Yna, gan ei bod yn ddydd

Paratoad, gofynnodd yr Iddewon i Peilat am gael torri coesau'r rhai a groeshoeliwyd, a chymryd y cyrff i lawr, rhag iddynt ddal i fod ar y groes ar y Saboth, oherwydd yr oedd y Saboth hwnnw'n uchel-ŵyl. (Ioan 19:30-31).

Y gair oedd ar wefus Iesu pan fu farw, yn ôl awdur y Bedwaredd Efengyl, oedd 'Gorffennwyd'. Ond y mae'n bwysig nad ydym yn camddehongli'r gair. Fe allai rhywrai gredu mai ei ystyr ar wefus Iesu Grist oedd rhywbeth tebyg i 'Mae'r cwbl ar ben', neu 'Mae ar ben arnaf', ac mai gair a lefarwyd mewn anobaith ydoedd. Ond y mae hynny ymhell o fod yn wir. I'r gwrthwyneb yn llwyr, ebychiad gorfoleddus sydd yma, a hynny ar wefusau un a wyddai fod ei waith achubol wedi ei gwblhau.

Mae un peth yn amlwg ddigon: yng ngolwg Ioan nid methiant trychinebus oedd croeshoeliad yr Arglwydd Iesu Grist, y byddai'n rhaid wrth yr Atgyfodiad i'w gywiro a'i ddadwneud, ond, yn hytrach, binacl ac uchafbwynt bywyd Iesu; yr un digwyddiad arwyddocaol a oedd wedi dwyn ei waith i'w gyflawnder. 'Roedd gorfoledd a buddugoliaeth yn y gair olaf a glywodd Ioan o wefus Iesu: 'Gorffennwyd'.

Y Seithfed Ymadrodd: Y Llef Uchel

Erbyn hyn yr oedd hi tua hanner dydd. Daeth tywyllwch dros yr holl wlad hyd dri o'r gloch y prynhawn, a'r haul wedi diffodd. Rhwygwyd llen y deml yn ei chanol. Llefodd Iesu â llef uchel, 'O Dad, i'th ddwylo di yr wyf yn cyflwyno fy ysbryd.' A chan ddweud hyn, bu farw. (Luc 23:44-46).

Mae Luc yn dweud bod Iesu wedi marw â llef uchel ar ei wefus, ond ffurf gweddi oedd i'r llef honno. Byddai hynny'n gwbl gydnaws â'r hyn a wyddom am yr Arglwydd Iesu, oherwydd yr oedd gweddi'n rhywbeth cwbl naturiol iddo, yn arbennig ar ambell awr argyfyngus yn ei fywyd, megis yn ing a gwewyr Gardd Gethsemane.

Nid gweddi ddigymell, wedi ei llunio yn y fan a'r lle, oedd ei weddi wrth farw, serch hynny, ond gweddi fenthyg, wedi ei chymryd o Lyfr y Salmau *(Salm 31, adn. 5)*. Awgrymwyd mai dyma'r weddi a ddysgid i blentyn o Iddew wrth fynd i gysgu: gweddi o ymddiriedaeth lwyr yn Nuw ac yng nghynhaliaeth gadarn ei law.

Mae un gair o wahaniaeth yn y weddi honno fel y'i llefarwyd gan

Iesu, serch hynny. Y gair hwnnw oedd 'Abba', cyfarchiad arferol Iesu wrth annerch ei Dad Nefol: 'O Dad, i'th ddwylo di yr wyf yn cyflwyno fy ysbryd'. A chan ddweud hyn, bu farw.

Dyna ni wedi codi cwr y llen ar ystyr y saith ymadrodd olaf a ddaeth dros wefus Iesu Grist cyn marw. Go brin y deallwn yn llwyr eu dirgelwch sanctaidd, na phlymio'n llwyr i'w dyfnderoedd cyfrin ond credwn eu bod yn eiriau bywiol ar ein cyfer ni, er bod canrifoedd lawer rhyngom a'r dydd pan lefarwyd nhw gyntaf erioed.

Emyn

> Mae'r gwaed a redodd ar y groes
> O oes i oes i'w gofio;
> Rhy fyr fydd tragwyddoldeb llawn
> I ddweud yn iawn amdano.
>
> *Robert ap Gwilym Ddu*

Y Fendith

> Teilwng yw'r Oen a laddwyd i dderbyn
> gallu, cyfoeth, doethineb a nerth,
> anrhydedd, gogoniant a mawl,
>
>   yn oes oesoedd. Amen.

'OND Y GWIR YW FOD CRIST WEDI EI GYFODI ODDI WRTH Y MEIRW'

Sul y Pasg

Gweddi Agoriadol

Crist a gyfododd! Efe a gyfododd yn wir!

Cyhoedder heddiw'r newydd
I bob creadur byw,
Er marw ar Galfaria,
Fod Iesu eto'n fyw.

Gyda'r Eglwys sy'n dathlu'r ŵyl ledled y ddaear drwy amrywiol ieithoedd, a thraddodiadau a ffurfiau gwasanaeth, ymunwn ninnau i ddathlu atgyfodiad ein Harglwydd Iesu Grist o'r bedd. Ein gweddi, O! Arglwydd, yw ar i lawenydd yr ŵyl feddiannu calonnau addolwyr ym mhob man. Goncwerwr angau, bywhâ ni. Torred gwawr newydd ar ein byd, gan wasgaru ei dywyllwch, a dwyn gobaith newydd i galonnau dynion ym mhob man. Yn enw Iesu Grist y gofynnwn hyn. Amen.

Emyn

Pan oedd Iesu dan yr hoelion
Yn nyfnderoedd chwerw loes,
Torrwyd beddrod i obeithion
Ei rai annwyl wrth y Groes;
Cododd Iesu!
Nos eu trallod aeth yn ddydd.

E. Cefni Jones

Darlleniadau

Luc 24:1-12
1 Corinthiaid 15:12-20

85

Emyn

Yr Iesu atgyfododd
Yn fore'r trydydd dydd;
'Nôl talu'n llwyr ein dyled
Y meichiau ddaeth yn rhydd:

Cyhoedder heddiw'r newydd
I bob creadur byw,
Er marw ar Galfaria,
Fod Iesu eto'n fyw.

Thomas Levi

Gweddi

Arglwydd, plygwn i'th addoli mewn oedfa newydd, a llawenhawn ar Sul y Pasg wrth gofio bod yr un Arglwydd Iesu Grist a rodiodd yn yr ardd ar fore'r Atgyfodiad, yn bresenoldeb bywiol yn ein plith ni heddiw.

Ni allodd angau du
Ddal Iesu'n gaeth,
Ddim hwy na'r trydydd dydd –
Yn rhydd y daeth.

Datodwyd y rhwymau a oedd yn ei glymu wrth le ac amser, a bellach, mae'n 'llond pob lle' ac 'yn bresennol ymhob man'. Boed ei bresenoldeb yn argyhoeddiad yn ein calonnau ninnau i'n bywhau.

Trig gyda ni, heddiw, drwy dy Ysbryd Sanctaidd, gan ein gollwng ninnau'n rhydd oddi wrth ein caethiwed i'n pechod, a'n hofn a'n parlys. Dyro fywyd newydd i'th Eglwys, Arglwydd, yma yng Nghymru, a thrwy wledydd y byd i gyd. Gofynnwn am i'r tywyllwch a'r llwydni gilio o'n bywyd eglwysig. Lle'r ydym yn betrus, gwna ni'n eofn; lle y mae amheuaeth yn ein llethu, dyro inni hyder a ffydd. Maddau inni am ganiatáu i arfer a thraddodiad fynd yn rhigol ac yn fwrn, i'th air fynd yn ystrydeb, ac i addoliad fynd yn ddefod.

Cofia'r rhai sydd heddiw'n cyhoeddi neges orfoleddus yr Atgyfodiad, ym mha le bynnag y digwydd hynny, a beth bynnag fo'r cyfrwng, boed hynny trwy'r gair ysgrifenedig neu lafar, neu trwy gelfyddyd neu grefft. Arddel y cyfryngau oll, O! Arglwydd, a chydnabyddwn fod gennyt, yn ein hoes ni, fel mewn oes a fu, 'lawer dull a llawer modd' at dy ddibenion dwyfol dy hun.

Boed i neges yr Atgyfodiad ddwyn goleuni i lewyrchu ym mannau tywyll ein daear. Doed dy dangnefedd i feysydd cad a chyflafan ein byd, ac i ganol adfyd dynion ym mhob man, gan ddwyn rhyddid newydd i'r carcharor, meddyginiaeth i'r claf, bwyd i'r newynog a gobaith i'r gwangalon. Ac yn ein bro ein hunain dwg ymgeledd i'r rhai sydd mewn enbydrwydd, cysur i'r digalon, nerth i'r gwan a chynhaliaeth i'r difreintiedig.

Cofia, Arglwydd, y rhai sy'n methu dathlu gyda ni, y dydd hwn, ac nad oes iddynt gyfran yn yr ŵyl, boed hynny oherwydd bod amgylchiadau yn eu rhwystro, neu am nad ydynt wedi clywed y newyddion da am y waredigaeth a ddaeth i'n byd yn Iesu Grist. Caniatâ iddynt, trwy ddirgel ffyrdd dy ragluniaeth, gyfran yn llawenydd y Pasg. Boed i ninnau, dy anufudd blant, gael ein dwyn drachefn dan fantell dy faddeuant a'th drugaredd. Edrych heibio i'n pechodau, a maddau ein cefnu mynych arnat. Gofynnwn hyn yn enw Iesu Grist ein Harglwydd. Amen.

Emyn

O! llefara, addfwyn Iesu:
　Mae dy eiriau fel y gwin,
Oll yn dwyn i mewn dangnefedd
　Ag sydd o anfeidrol rin.
Mae holl leisiau'r greadigaeth,
　Holl ddeniadau cnawd a byd,
Wrth dy lais hyfrytaf, tawel,
　Yn distewi a mynd yn fud.

W. Williams

Pregeth
1 Corinthiaid 15:17, 19-20

'**Ac os nad yw Crist wedi ei gyfodi, ofer yw eich ffydd . . .**
Os ar gyfer y bywyd hwn yn unig yr ydym wedi gobeithio yng
Nghrist, nyni yw'r mwyaf truenus ymhlith dynion.
Ond y gwir yw fod Crist wedi ei gyfodi oddi wrth y meirw.'

Mae'n anodd meddwl am well testun ar gyfer Sul yr Atgyfodiad. Dyma Paul, un o Gristnogion mawr yr oesau, gŵr y mae ei lythyrau at ei gyd-Gristnogion wedi dod yn rhan bwysig o Ysgrythurau Sanctaidd yr

Eglwys, yn cysegru pob dawn oedd yn ei feddiant i osod i lawr ar gyfer Cristnogion Corinth, garreg sylfaen ei gred fel disgybl i Iesu Grist. Y garreg sylfaen honno oedd ei argyhoeddiad fod Iesu Grist wedi ei gyfodi o'r bedd. Ac yn y bennod hon, a ddarllenwyd yn eiriau cysur i genedlaethau o bobl Dduw, mae Paul yn dadlau ac yn rhesymu ei gred yn erbyn amheuon ei wrthwynebwyr. 'Yr ymresymiad ysblennydd' – dyna ddisgrifiad un awdur o gynnwys y bennod, ac y mae'n rhwydd iawn cytuno â'r disgrifiad.

Cofiwch chi, mae'r amheuon yn dal i godi eu pennau heddiw, ganrifoedd ar ôl y digwyddiad. Mae Eglwys Iesu Grist yn hen gyfarwydd ag amheuon y bobl hynny sy'n dadlau yn erbyn yr Atgyfodiad, ac, fel y gellid disgwyl, mae sawl ffurf i'r amheuon hyn.

Mae rhywrai wedi dadlau nad oedd Iesu wedi marw pan ddodwyd ef ym medd Joseff o Arimathea; mai wedi llewygu'r oedd ef. Mae eraill wedi ceisio awgrymu bod y gred yn yr Atgyfodiad wedi digwydd oherwydd bod y gwragedd a ddaeth at y bedd yn nhywyllwch y bore bach wedi mynd at y bedd anghywir, a'i gael yn wag. Mae eraill yn tynnu sylw at y croesddweud o fewn yr efengylau eu hunain ynghylch manylion stori'r Atgyfodiad. Ac mae eraill, eto fyth, wedi ceisio dadlau o fewn y blynyddoedd diwethaf hyn nad digwyddiad hanesyddol yw'r Atgyfodiad ond darlun i'w ddeall mewn modd symbolaidd o'r bywyd newydd a ddaw i'r credadun ym Mherson yr Arglwydd Iesu Grist.

Beth wnewch chi o amheuon dynion, d'wedwch? Mae rhywrai wedi credu y gellwch chi argyhoeddi'r amheuwr drwy ddadl ac ymresymiad. Ond mae'n amheus iawn a yw dadlau, a dal pen rheswm, ar eu pen eu hunain yn mynd i argyhoeddi un amheuwr o wirionedd mor chwyldroadol ag Atgyfodiad Iesu Grist o'r bedd. *Cael* ei argyhoeddi y mae'r amheuwr bob cynnig, ac mae lle i gredu bod rhywbeth mwy – anhraethol fwy – na rhesymeg ddynol ar waith yn y broses honno.

Un o'r disgrifiadau rhyfeddaf o'r argyhoeddi hwnnw yw'r hyn a gafwyd gan C.S. Lewis yn ei gyfrol *Surprised by Joy*. Mae'n ei ddisgrifio'i hunan yn ei ystafell yng Ngholeg Magdalen yn Rhydychen 'yn ymwybodol o ddynesiad cyson a diwrthdro yr Un yr oedd yn taer ddyheu am beidio â'i gyfarfod'. Dyma'i eiriau: *'feeling the steady unrelenting approach of Him whom I so earnestly desired not to meet.'* Bryd hynny, 'roedd y gŵr a ddaeth yn ddiweddarach yn un o amddiffynwyr y Ffydd, yn anghrediniol, yn gwrthod credu, yn gwrthod cael ei argyhoeddi. Ond o'i anfodd, *cael* ei argyhoeddi fu ei hanes.

'Roedd y Mab Afradlon, yn nameg Iesu Grist, meddai, wedi dod adref ar ei ddeutroed, onid nid felly C.S. Lewis. Fe ddygwyd yr afradlon hwnnw adref dan gicio a strancio, yn ddig, ac yn gwibio'i lygaid i bob cyfeiriad wrth chwilio am ffordd i ddianc! Dyna ffordd liwgar C.S. Lewis ei hun o ddweud mai *cael* ei argyhoeddi a wnaeth ef, a hynny o'i anfodd.

Onid dyna ddigwyddodd, hefyd, yn hanes yr apostolion yn y Testament Newydd ei hun? 'Roedd hynny'n wir, hyd yn oed ar fore'r Atgyfodiad. 'Doedd credu ddim yn beth hawdd iawn i'w wneud y bore hwnnw, oherwydd 'all neb haeru bod credu yn yr Atgyfodiad yn beth rhesymol i'w wneud. Yn wir, i'r gwrthwyneb yn deg: y gred yn yr Atgyfodiad yw'r gred fwyaf afresymol yn holl hanes y byd.

Clywch ar Luc yn adrodd hanes y gwragedd ar fore'r Atgyfodiad:
'Dychwelsant o'r bedd, ac adrodd yr holl bethau hyn wrth yr un ar ddeg ac wrth y lleill i gyd. Mair Magdalen a Joanna a Mair mam Iago oedd y gwragedd hyn; a'r un pethau a ddywedodd y gwragedd eraill hefyd, oedd gyda hwy, wrth yr apostolion. Ond i'w tyb hwy, lol oedd yr hanesion hyn, a gwrthodasant gredu'r gwragedd.'

Mae'r gair 'lol' yn air annisgwyl braidd. Y gair a ddefnyddiodd Luc yw'r gair y byddai Groegwr yn ei ddefnyddio am berson mewn twymyn neu ddeliriwm, ac yn siarad nonsens. Dedfryd yr apostolion ar stori'r gwragedd am fedd gwag oedd mai lol oedd y cyfan; nonsens pur. Ond o un i un, fe gawsant eu hargyhoeddi. Clywch ar Luc, eto, yn adrodd yr hanes:

'Ond cododd Pedr a rhedeg at y bedd; plygodd i edrych, ac ni welodd ddim ond y llieiniau. Ac aeth ymaith, gan ryfeddu wrtho'i hun at yr hyn oedd wedi digwydd.'

Cael ei argyhoeddi wnaeth Pedr, a *chael* ei argyhoeddi a wnaeth Thomas yntau. Mae'n amlwg ei fod yntau'n credu mai lol oedd y stori am Grist atgyfodedig: 'Os na welaf ôl yr hoelion . . . a rhoi fy mys . . . a'm llaw . . . ni chredaf fi byth.' Wrth gwrs, 'doedd Thomas erioed wedi breuddwydio am funud y câi roi bys a llaw yn llinyn mesur i'w gred yn yr Atgyfodiad. A phan ddaeth y cyfle iddo, a'i wahodd i wneud hynny, 'fedrai ddim ond sibrwd ei gyffes ffydd yn ostyngedig iawn: 'Fy Arglwydd a'm Duw.' Ie, *cael* ei argyhoeddi a wnaeth Thomas, nawddsant amheuwyr y canrifoedd, ac nid dim byd yn ymwneud â thystiolaeth bys a llaw a'i hargyhoeddodd, ond dyfod wyneb yn wyneb â'r Crist atgyfodedig ei hun.

*   *   *

Mae'n amlwg fod rhywbeth mawr wedi digwydd ym mhrofiad yr apostolion hyn. Y gred yn Atgyfodiad Iesu Grist o'r bedd oedd y deinamig, y grym a greodd yr Eglwys ac a'i gyrrodd ar ei chenhadaeth drwy wledydd yr Ymerodraeth. A 'doedd neb yn sylweddoli hynny'n well na'r apostolion cynnar.

Yn wir, dyna *oedd* yr apostolion: llygad-dystion i'r Crist atgyfodedig. Dyna oedd unig hawl Paul i'w alw ei hun yn apostol. Nid oedd erioed wedi adnabod Iesu Grist yn nyddiau ei gnawd, a phan oedd rhywrai yn eglwysi Galatia yn amau a oedd ef, gan hynny, i'w restru ymhlith yr apostolion, ac yn dechrau cwestiynu ei awdurdod, aeth Paul ati, yn ddiymdroi, i osod ei gredensials ger eu bron yng ngeiriau cyntaf yr epistol:

> 'Paul, apostol – nid o benodiad dynion, na chwaith trwy awdurdod unrhyw ddyn, ond trwy awdurdod Iesu Grist a Duw Dad, yr hwn a'i cyfododd ef oddi wrth y meirw.'

Sut yn y byd y gallai unrhyw un beidio â chynnwys Paul ymhlith yr apostolion ar ôl yr hyn a ddigwyddodd ar y ffordd i Ddamascus? Ie, *cael* ei argyhoeddi a wnaeth Paul yntau. Ac efallai mai'r person mwyaf addas i argyhoeddi'r sawl sy'n amau yw'r person sydd – fel y byddai'r hen bobl yn dweud gynt – 'wedi mynd trwy fwlch yr argyhoeddiad' ei hunan. A 'fu 'na erioed berson cymhwysach i argyhoeddi dynion o wirionedd yr Atgyfodiad na Paul ei hunan, yn sgîl profiad ffordd Damascus. Gan hynny, pan oedd Cristnogion Corinth yn dechrau bwrw eu hamheuon arno, 'roedd Paul yn ddi-droi-'nôl: yr Atgyfodiad yw carreg sylfaen yr Eglwys. Tynnwch honno oddi yno, ac y mae'r holl adeiladwaith yn syrthio.

Clywch ar Paul yn ergydio yn erbyn yr amheuon, o un i un. Mae fel hen chwarelwr, hyddysg yn ei grefft, yn taro'r hen garreg afrywiog yn ei mannau gwan â'i ordd, ac yn gwybod yn union ymhle y mae anelu ei ergydion:

> 'Os nad yw Crist wedi ei gyfodi, ofer yw eich ffydd, ac yn eich pechodau yr ydych o hyd . . . Os ar gyfer y bywyd hwn yr ydym

90

wedi gobeithio yng Nghrist, ni yw'r mwyaf truenus ymhlith dynion . . . Os na chyfodir y meirw, 'Gadewch inni fwyta ac yfed, canys yfory byddwn farw.'

Ergyd ar ôl ergyd yn diasbedain, ac mae'r adlais i'w glywed i lawr y canrifoedd, hyd at ein dyddiau ni!

* * *

Wedi'r cyfan, os oedd corff Iesu Grist yn madru mewn bedd yng ngwlad Palesteina, pa opsiwn oedd ar ôl i'w ddilynwyr ond byw i'r funud, a drachtio pleserau'r funud honno i'w hymylon. 'Roedd llawer iawn o bobl yng Nghorinth—yng Nghorinth o bobman!—oedd yn barod iawn i argymell hynny. Ond dyna'r union beth na allai Paul mo'i wneud. Byddai ymroi i fyw felly yn gelwydd noeth, yn wadiad o bopeth yr oedd yn credu ynddo, a hynny am ei fod wedi adnabod ffordd amgenach o fyw, oedd yn wirionedd na allai gefnu arno byth. '. . . Ond y gwir yw,' meddai, 'fod Crist wedi ei gyfodi oddi wrth y meirw'.

Mae'r un gwirionedd yn hysbys i ninnau hefyd. 'Chafodd dim un llinell o'r Testament Newydd ei hysgrifennu, boed Efengyl, neu Actau'r Apostolion, neu lythyrau'r apostolion, neu Lyfr y Datguddiad, ond yng ngoleuni'r argyhoeddiad fod Iesu Grist wedi concro marwolaeth a'i fod yn byw yn oes oesoedd. Yng ngoleuni'r argyhoeddiad hwnnw sut y gallwn ninnau ychwaith feddwl am fyw i'r funud, ac i archwaethau'r cnawd yn unig? Yr argyhoeddiad fod Iesu Grist yn fyw yw'r grym a'r deinamig sy'n dal i gynnal yr Eglwys heddiw, ar ôl treigl canrifoedd lawer. Yr Atgyfodiad yw'n grym cynhaliol ninnau, fel yn nyddiau'r Testament Newydd: 'Y gwir yw fod Crist wedi ei gyfodi oddi wrth y meirw'.

'Roedd Karl Heim, un o ddiwinyddion yr Almaen, yn hoff o adrodd hanesyn am rywbeth a ddigwyddodd yn ninas Moscow yn fuan ar ôl y Chwyldro. Cynhaliwyd cyfarfod cyhoeddus yn y ddinas, a daeth cynulleidfa fawr ynghyd, a rhoddwyd rhyddid i siaradwyr annerch y dorf, ar yr amod eu bod yn eu cyfyngu eu hunain i bum munud yr un. Cododd siaradwr ar ôl siaradwr yn eu tro, a phob un yn canmol hawliau'r proletariat ac yn clodfori'r wladwriaeth ddi-Dduw.

Ar ôl ysbaid, cododd offeiriad ar ei draed a dringo i'r llwyfan. Gwaeddodd rhywun yn ddigon di-gywilydd arno, 'Dim ond pum munud o bregeth, cofia!' Ond gwenodd yr offeiriad. 'Fydd dim angen pum munud arna'i,' meddai, "Rwy'i wedi gwrando ar eich dadleuon o blaid y Drefn Newydd. Dim ond un peth sydd gen i'w ddweud. Ydych chi'n cofio pa dymor o'r flwyddyn yw hi? Fy nghyfeillion annwyl, Crist a gyfododd!' Ac 'roedd ymateb y gynulleidfa yn rhyfeddol. 'Roedd yn union fel petai'r offeiriad wedi taro rhyw nerf a fuasai ynghwsg, hyd hynny. Oherwydd yma ac acw, drwy'r gynulleidfa fawr, daeth llais ar ôl llais yn adrodd, ac yn ail-adrodd yr hen gyffes gyfarwydd o Wasanaeth Pasg yr Eglwys Uniongred: 'Crist a gyfododd! Efe a gyfododd yn wir!'

Gwyn fyd na allai rhyw ddiwinydd neu ryw broffwyd daro'r nerf ysbrydol sydd wedi mynd i gysgu yn ein hanes ni fel eglwysi ac fel cenedl yng Nghymru, a'n bod ninnau'n gallu tystio ar Sul y Pasg, 'Crist a gyfododd! Efe a gyfododd yn wir!'

Emyn

> Mawr oedd Crist yn nhragwyddoldeb,
> > Mawr yn gwisgo natur dyn,
> Mawr yn marw ar Galfaria,
> > Mawr yn maeddu Angau'i hun.
> Hynod fawr yw yn awr,
> Brenin nef a daear lawr.

> *Titus Lewis*

Y Fendith

> I'r hwn sydd yn eistedd ar yr orsedd, ac i'r Oen, y bo'r mawl a'r anrhydedd a'r gogoniant a'r nerth byth bythoedd. Amen.

'COFIA'R NEWYNOG, NEFOL DAD'

Gwasanaeth Cymorth Cristnogol

Brawddegau

> Y mae'r Arglwydd yn ffyddlon yn ei holl eiriau,
> ac yn drugarog yn ei holl weithredoedd . . .
> Y mae'n rhoi bara i'r newynog,
> yn rhyddhau carcharorion,
> yn rhoi golwg i'r deillion,
> yn unioni'r rhai gwargam,
> yn gwylio dros y dieithriaid
> ac yn cynnal y weddw a'r amddifad.

Arweinydd

Yng nghanol y Ffydd Gristnogol y mae Croes. 'Does dim un symbol mwy eglur o'n Ffydd yn y byd i gyd; mae pawb yn gallu'i 'nabod. Dwy linell yn croesi, dyna'i gyd: llinell Duw a llinell dyn.

Ond nid Croes wag yw Croes y Cristion. Arni, rhoddwyd Iesu Grist, sylfaenydd y Ffydd, Mab Duw ei hun. Ystyr hynny yw bod llinell Duw a llinell dyn yn croesi yn yr union fan lle y mae poen a dioddefaint amlycaf.

Nid trychineb mo'r groes, serch hynny. I'r gwrthwyneb, mae'n cyhoeddi bod daioni'n drech na drygioni; cariad yn drech na chasineb; goleuni'n drech na thywyllwch; bywyd yn drech na marwolaeth. Mae hynny'n Newyddion Da inni i gyd, ond yn arbennig i'r olaf a'r lleiaf yn ein plith, sef y difreintiedig a'r newynog!

Geiriau Hen Emyn Affricannaidd

(Y gynulleidfa yn cyd-adrodd)

> **Y groes yw ffordd y colledig,**
> **Y groes yw'r ffon sy'n cynnal y cloff,**
> **Y groes sy'n tywys y dall,**
> **Y groes yw nerth y gwan,**
> **Y groes yw gobaith y di-obaith,**
> **Y groes yw rhyddid y caeth,**
> **Y groes yw'r glaw sy'n mwydo'r had,**
> **Y groes yw cysur y taeog,**
> **Y groes yw ffynnon y sychedig,**
> **Y groes yw gwregys y noeth.**

Emyn

Wrth edrych ar ryfeddol Groes. Tôn: *Rockingham*

Wrth edrych ar ryfeddol Groes
Tywysog y gogoniant mawr,
Dirmygaf fi holl falchder f'oes
A chyfri'n golled elw'r llawr.

Na ad i mi ymffrostio, Iôr,
Mewn dim ond Croes fy Nghrist a'i glwy';
A phopeth gwag yn hudol stôr
Er mwyn ei waed aberthaf hwy.

O! gwêl ei ben a'i ddwylo a'i draed,
Ei boen a'i gariad Ef a'u gwlych;
'Fath boen a chariad ym mhle'u caed,
Neu ddrain a wnâi'r fath goron wych?

Pe meddwn holl deyrnasoedd byd,
Ni byddai'n offrwm llawn, di-goll;
Fe hawlia'r cariad dwyfol, drud,
Fy enaid, f'einioes, f'eiddo oll.

Isaac Watts (cyf. O.M. Lloyd)

Darlleniadau

Philipiaid 2:5-11
Hebreaid 4:14-16
I Pedr 2:21-25

Emyn

O! Grist, Ffisigwr mawr y byd. Tôn: *Deep Harmony*

O! Grist, Ffisigwr mawr y byd,
Down atat â'n doluriau i gyd;
Nid oes na haint na chlwy' na chur
Na chilia dan dy ddwylo pur.

Down yn hyderus atat ti,
Ti wyddost am ein gwendid ni;
Gwellhad a geir ar glwyfau oes
Dan law y Gŵr fu ar y groes.

Anadla arnom ni o'r nef
Falm dy drugaredd dawel gref;
Pob calon ysig, boed yn dyst
Fod hedd yn enw Iesu Grist.

Aeth y trallodus ar eu hynt
Yn gwbl iach o'th wyddfod gynt;
Ffisigwr mawr, O! rho dy hun
I'n gwneuthur ninnau'n iach, bob un.

D.R. Griffiths

Gweddïau

(allan o *Bread of Tomorrow, Praying with the World's Poor*, gol.
Janet Morley, S.P.C.K.)

O! Dduw, y mae dy Air di yn ddiffrwyth
    pan yw'r treisgar heb ei ddarostwng,
    a'r darostyngedig yn dal i gael ei sathru dan draed,
    pan ddigonir y cyfoethog â phethau da
    a gadael y tlawd heb ddim.
Cywira dy Air, O! Dduw, gan ddechrau gyda ni;
    tynera ein calonnau, agor ein clustiau,
    er mwyn inni glywed llais y tlodion
    a bod â rhan yn eu brwydr;
    ac anfon ni ar ein taith
    gyda newyn a hiraeth yn ein calon
    am i'th addewidion gael eu gwireddu yn Iesu Grist,
Amen.
Janet Morley (cyf.)

Iesu ein Brawd,
    nertha ni i'th ddilyn di
    i ddyfroedd dyfnion bedydd . . .
    i dorri cadwyn hen bechodau,
    a'n cymhwyso ar gyfer d'yfory di;
(Cydadrodd) **Iesu, ein Brawd, nertha ni i'th ddilyn di.**

Nertha ni i'th ddilyn i'r anialwch,
    i ymprydio gyda thi,
    a chefnu ar werthoedd bywyd moethus,

95

gwrthod esmwythfyd a'i lwybrau deniadol,
llwybr y llwyddo-beth-bynnag-y-draul,
llwybr y 'trechaf treisied',
(Cydadrodd) **Iesu, ein Brawd, nertha ni i'th ddilyn di.**

Nertha ni i weini'n ddiflino mewn tref a phentref,
gan iacháu ac adfer . . .
i fwrw allan y pwerau demonig —
trachwant, digofaint, casineb —
a'r ofnau sy'n lladd, ac sy'n rhemp yn ein tir;
(Cydadrodd) **Iesu, ein brawd, nertha ni i'th ddilyn di.**

Nertha ni i'th ddilyn i'r encil tawel,
i eiriol ar ran y dryslyd, y gwangalon, y gofidus,
i'n paratoi'n hunain ar gyfer gwasanaeth, gan gyfri'r gost,
i roi ein tŷ mewn trefn cyn ymroi i'r gwasanaeth drud;
(Cydadrodd) **Iesu, ein Brawd, nertha ni i'th ddilyn di.**

Nertha ni i'th ddilyn ar y ffordd i Jerwsalem
i ymwrthod â'r awgrym cyfeillgar
mai doethach fyddai byw y bywyd 'saff',
a dewis yn hytrach aberthu'r hunan;
(Cydadrodd) **Iesu, ein Brawd, nertha ni i'th ddilyn di.**

Nertha ni i'th ddilyn hyd yn oed i'r groes
a rhoi'n gobaith yn dy gariad hunanaberthol di,
gan farw i bopeth ynom
nad yw wedi ei eni o'th gariad;
(Cydadrodd) **Iesu, ein brawd, nertha ni i'th ddilyn di.**

Nertha ni i'th ddilyn allan o dywyllwch bedd
i fod â chyfran ym mywyd yr Atgyfodiad,
i'n hadnewyddu beunydd dan ddelw dy gariad,
i weini beunydd yn dy gorff-ar-ei-newydd-wedd
sy'n cael ei dorri er mwyn dy fyd di;
(Cydadrodd) **Iesu, ein Brawd, nertha ni i'th ddilyn di.**

Cyfaddasiad gan Christopher Duraisingh
o 'Litani Disgyblion y Gwas'
a ddefnyddir yng Ngholeg Diwinyddol Andhra, Hyderabad.

Emyn

Cofia'r newynog, nefol Dad.   Tôn: *Arizona*

Cofia'r newynog, nefol Dad,
Filiynau llesg a thrist eu stad,
Sy'n llusgo byw yng nghysgod bedd,
Ac angau'n rhythu yn eu gwedd.

Rho ynom dy dosturi di,
I weld mai brodyr oll ŷm ni;
Y du a'r gwyn, y llwm a'r llawn,
Un gwaed, un teulu trwy dy ddawn.

O! gwared ni rhag in osgoi
Y sawl ni ŵyr at bwy i droi;
Gwna ni'n Samariaid o un fryd,
I helpu'r gwael yn hael o hyd.

Dysg inni'r ffordd i weini'n llon,
Er lleddfu angen byd o'r bron;
Rhoi gobaith gwir i'r gwan a'r prudd,
Ac archwaeth dwfn at faeth y ffydd.

Holl angen dyn, tydi a'i gŵyr,
D'Efengyl a'i diwalla'n llwyr,
Nid digon popeth hebot ti:
Bara ein bywyd, cynnal ni.

Tudor Davies

Anerchiad

Glywsoch chi'r stori am yr *avalanche* yn yr Alpau? Ofnwyd bod rhywun wedi'i gladdu dan yr eira. Aeth tîm achub y Groes Goch i fyny i'r mynydd i weld a allen' nhw helpu; a phob un ohonyn' nhw, gan gynnwys y ci, Sant Bernard mawr, wedi ei hyfforddi ar gyfer yr union dasg.

Cyn hir, 'roedd y ci wedi ffroeni man arbennig yn yr eira. A dyma'r tîm yn mynd ati i dwrio, a thwrio. O'r diwedd, torrwyd twll yn yr eira

97

at y person oedd wedi'i gladdu oddi tano. A dyma lais egwan dan yr eira'n llefain, 'Pwy sydd 'na?' Ac arweinydd y tîm yn ateb, 'Y Groes Goch'. A dyma'r ateb yn dod o'r dyfnder, ''Rwy'i eisoes wedi rhoi!' 'Rŷch chi'r casglwyr ffyddlon o ddrws i ddrws ar ran Cymorth Cristnogol yn hen gyfarwydd â'r ateb yna! A dweud y gwir, 'fyddai ddim yn ddrwg o beth inni drefnu Seiat, ryw flwyddyn, a gofyn i gasglwyr ffyddlon Cymorth Cristnogol adrodd eu profiadau yno. Wedi'r cyfan, chi, y casglwyr-o-ddrws-i-ddrws (bendith arnoch chi!) yw'r rhai sydd wedi codi miloedd ar filoedd o bunnoedd at y gwaith yn flynyddol. Ac mae'n siwr eich bod chi wedi dysgu llawer am y natur ddynol yn y broses!

Sut y dechreuodd Cymorth Cristnogol?
Fe adawodd y Rhyfel Byd ddinistr mawr o'i ôl. 'Roedd miloedd lawer o bobl wedi colli'u cartrefi, a llawer ohonyn' nhw'n ffoaduriaid, ac 'roedd tlodi a newyn yn gyffredin. Ym 1944, penderfynodd eglwysi Prydain sefydlu asiantaeth i'w helpu. Fe'i galwyd wrth yr enw *'Christian Reconstruction in Europe'* a chodwyd miliwn o bunnoedd gan yr eglwysi i hybu'r gwaith — swm enfawr bryd hynny. Ond 'roedd yr angen yn fawr.

Ym 1948 sefydlwyd Cyngor Eglwysi'r Byd. Os gweini ar angen cydddyn oedd y flaenoriaeth, oni ddylai'r Eglwys fynd at yr anghenus *ym mha le bynnag yr oedd y gri am gymorth i'w chlywed?* Ac 'roedd y gri honno i'w chlywed, bellach, nid yn bennaf yn Ewrob, ond yng ngwledydd tlawd y Trydydd Byd, oedd ar drugaredd trychineb, a methiant y cynhaeaf, a newyn a haint.

Ym 1949 newidiwyd enw'r asiantaeth. Fe'i clymwyd â Chyngor Eglwysi Prydain a'i galw'n *'Department of Inter-Church Aid and Refugee Service'*. A dechreuodd y gwaith o ddifrif, law yn llaw ag elusennau eraill, o gasglu arian i helpu ffoaduriaid ac ymgeleddu'r rhai a ddioddefodd oherwydd rhyfel a thrychineb.

Ym 1957 fe ddigwyddodd rhywbeth a barodd i'r asiantaeth newid ei henw unwaith eto, er mai ymhen rhai blynyddoedd y gwnaethpwyd y penderfyniad ffurfiol i wneud hynny. Y flwyddyn honno, penderfynwyd cynnal wythnos o ddigwyddiadau ym mis Mai i godi arian at y gwaith o estyn cymorth yn enw'r eglwysi i dlodion byd. Ond pam cyfyngu'r apêl i'r eglwysi? Beth am fynd o ddrws i ddrws ac apelio at y cyhoedd yn gyffredinol? Yr enw ar yr ymgyrch oedd 'Wythnos Cymorth Cristnogol'. Bu'r ymgyrch yn llwyddiant mawr, a phenderfynwyd ei chynnal yn flynyddol. Yn wir, bu mor llwyddiannus nes mynd ati i newid enw'r asiantaeth i 'Gymorth Cristnogol'. A *'Christian Aid'* – 'Cymorth Cristnogol' – fu'r enw fyth oddi ar hynny.

Sut mae Cymorth Cristnogol yn gweithio?

Nid elusen sy'n estyn cymorth i Gristnogion yw Cymorth Cristnogol. Cystal inni ddeall hynny! Ond elusen a gychwynnwyd *gan* Gristnogion i helpu'r rhai mewn angen beth bynnag yw cred y bobl anghenus hynny, neu liw eu croen, neu genedl. Y tu ôl i Gymorth Cristnogol mae'r argyhoeddiad fod cri plant Duw mewn angen yn torri ar draws yr holl ffiniau sy'n ein gwahanu ni oddi wrth ein gilydd.

Asiantaeth Gristnogol yw hi yn yr ystyr fod pob gwasanaeth i gyd-ddyn yn ei angen yn wasanaeth i Grist: 'Yn gymaint ag ichwi ei wneud i un o'r rhain, fy mrodyr, i mi y gwnaethoch.'

Efallai mai'r darlun arhosol o waith Cymorth Cristnogol ym mhrofiad llawer ohonom ni, yw'r darlun ar y teledu, a hynny ar adeg trychineb fawr, neu pan fo rhyfel yn rhwygo cenedl, a hen bobl a gwragedd a phlant yn cael eu corlannu mewn gwersylloedd ffoaduriaid wrth y miloedd. Mae timoedd Cymorth Cristnogol yn amlwg yno, gyda'r asiantau eraill, yn bwydo, a chysgodi, a thrin y claf.

Ond os dyma'r hyn y mae'r byd yn ei weld drwy'r teledu, dim ond rhan fach o waith Cymorth Cristnogol yw hynny. 'Dyw hi ddim yn ddigon i ymateb i drychineb, a bwydo'r newynog a thrin y claf. Rhaid gweithio *yn y tymor hir* i symud achosion tlodi:

- rhaid helpu'r tlawd i sefyll ar ei draed ei hun, a bod yn hunangynhaliol;

- rhaid rhoi yn ei ddwylo nid arian, ond offer, sgiliau, cyflenwad dŵr, had, gwrtaith, anifeiliaid a llawer darpariaeth arall a fydd yn ei gynorthwyo i sefyll ar ei draed.

- mewn rhai amgylchiadau gellir benthyg arian iddo ar log isel iawn. Yna, gall ddefnyddio'r benthyciad i sefydlu busnes, neu brynu tir, a thalu'r benthyciad yn ôl, fel y daw'r fenter yn broffidiol. Felly, bydd arian Cymorth Cristnogol yn mynd ymhellach, er tegwch i bawb, a bydd y tlawd yn cadw ei hunanbarch.

- yn aml bydd Cymorth Cristnogol yn brwydro ar ran y tlawd i sicrhau tegwch yn y farchnad oddi wrth lywodraethau, busnesau mawr, a banciau.

Mae Cymorth Cristnogol yn enghraifft o Gristnogaeth ar waith.

● Mae'n ffyddlon i esiampl Iesu Grist. 'Roedd ef yn un â'r tlawd. Rhannodd eu gofid a'u gwae. Mewn rhyw ffordd fechan, mae Cymorth Cristnogol yn ein helpu ninnau i ddangos ein bod yn un â'r tlawd.

● 'Roedd Iesu Grist yn llawdrwm iawn—yn nameg enwog y Samariad Trugarog—ar y rhai oedd yn 'mynd o'r tu arall heibio' i ddyn yn ei angen. Mae Cymorth Cristnogol yn rhoi cyfle i ni sefyll, nid gyda'r Lefiad a'r offeiriad, ond gyda'r Samariad Trugarog.

● Un o adnodau enwocaf y Testament Newydd yw'r adnod sy'n dechrau gyda'r geiriau 'Do, carodd Duw y byd gymaint nes iddo roi ei unig Fab . . .'

Fel y dywedwyd ar ddechrau'n hoedfa yng nghanol y Ffydd Gristnogol y mae Croes. Y Groes honno yw'r pris a dalodd Duw wrth ein caru. Ac yntau wedi rhoi cymaint, o'i gariad i ni, oni allwn ninnau roi cyfran o'n cariad ninnau, yn ein tro, i frawd a chwaer mewn angen? Dyna pam 'rŷm ni am eich gwahodd fel cynulleidfa i gyfrannu'n hael at elusen a ddylai fod yn agos iawn at galon aelodau o Eglwys Iesu Grist.

YR OFFRWM—at waith Cymorth Cristnogol

Emyn

'Câr dy gymydog fel tydi dy hun'—ar y dôn 'Yorkshire'

> Nid fel y ddau, yn nameg Iesu gynt,
> Aeth o'r tu arall heibio ar eu hynt,
> Ond fel trugarog ŵr y galon driw
> A ymgeleddodd frawd, a thrin ei friw—
> Câr dy gymydog fel tydi dy hun,
> Can's Duw a'i creodd yntau ar ei lun.

> Nid yn ddifater, pan fo'r dwrn a'r cledd
> Yn llethu cyd-ddyn, ac yn rhwygo'i hedd,
> Na phan fo cri'r newynog ar ein clyw
> Yn datgan eu bod hwythau'n blant i Dduw—
> Câr dy gymydog fel tydi dy hun,
> Can's Duw a'i creodd yntau ar ei lun.

Nid fel y sawl sy'n canfod angen draw
Heb graffu ar y tlodi sydd wrth law,
Gan bledio hawl y caeth ar orwel pell,
A'i anwybyddu gartref yn ei gell —
   Câr dy gymydog fel tydi dy hun,
   Can's Duw a'i creodd yntau ar ei lun.

Nid am fod caru'n rhwydd mewn unrhyw oes,
Ond am fod caru'n rhaid yng ngolau'r Groes,
Heb grybwyll ffin, nac un gwahanfur chwaith,
Na hil, na lliw ei groen, na llwyth nac iaith —
   Câr dy gymydog fel tydi dy hun,
   Can's Duw a'i creodd yntau ar ei lun.

Y Fendith

I Dduw y Tad, a'n carodd ni o'r dechrau
   ac a'n gwnaeth yn gymeradwy yn yr Anwylyd:
I Dduw y Mab, a'n carodd ac a'n golchodd
   oddi wrth ein pechodau yn ei waed ei hun:
I Dduw yr Ysbryd Glân, yr hwn sy'n tywallt
   cariad Duw yn ein calon ni:
   y bo'r clod a phob gogoniant
   drwy bob amser ac i dragwyddoldeb.

Amen.

'NID AR AIR YN UNIG . . . OND MEWN NERTH HEFYD, AC YN YR YSBRYD GLÂN
Y Sulgwyn

Brawddegau arweiniol

Ar ôl hyn
tywalltaf fy ysbryd ar bob dyn;
bydd eich meibion a'ch merched yn proffwydo,
bydd eich hynafgwyr yn gweld breuddwydion,
a'ch gwŷr ifainc yn cael gweledigaethau.
Hyd yn oed ar y gweision a'r morynion
fe dywalltaf fy ysbryd yn y dyddiau hynny.

Gweddi Agoriadol

Dduw'r Tad, tyrd atom ni, dy blant, i'n disgyblu yn dy ffyrdd, ac i'n
cofleidio yn dy drugaredd;
Dduw'r Mab, tyrd atom i'n gwaredu o'n pechod, a'n hadfer i lwybr
dy ewyllys a'th deyrnas;
Dduw'r Ysbryd Glân, anadla arnom i'n bywhau, gan sefyll yn ein hymyl
i eiriol trosom.

Amen.

Emyn

Ysbryd sanctaidd, disgyn
O'r uchelder glân,
Nes i'n calon esgyn
Yn adfywiol gân.

Penar

Darlleniad

Actau 2:1-21

Emyn

Awn at ei orsedd rasol Ef,
Dyrchafwn lef i'r lan;
Mae'n gwrando pob amddifad gri,
Mae'n rhoddi nerth i'r gwan.

Richard Jones

Gweddi

O! Arglwydd Dduw, a greodd y byd a'i bobloedd, diolchwn am y cynnal a fu ar dy blant erioed, hyd y munudau hyn. Yn arbennig, diolchwn am waith dy Ysbryd yn arwain dynolryw o ddyddiau'r creu. Anadlodd fywyd i'th greadigaeth, gan ddwyn ffurf a threfn o'r tryblith mawr. Fyth oddi ar hynny, bu'r Ysbryd Glân ar waith, yn arwain cenedl a phobl i adnabyddiaeth ohonot ti, ac o'th fwriadau dwyfol. Ysbrydolodd broffwyd a gŵr doeth; bu'n procio cydwybod, yn ysgogi addoliad; yn pledio achos y cyfiawn; yn dwyn i olau dydd gyfrinion dy ewyllys, ac yn eiriol dros bechaduriaid.

Llawenhawn i'th Ysbryd ddisgyn ar Iesu Grist dy Fab, megis colomen, adeg ei fedydd, ac arddel ei weinidogaeth yn nyddiau ei gnawd, gan gyflawni breuddwyd y proffwyd gynt:

'Y mae Ysbryd yr Arglwydd arnaf,
oherwydd iddo f'eneinio
i bregethu'r newyddion da i dlodion.
Y mae wedi f'anfon i gyhoeddi
rhyddhad i garcharorion,
ac adferiad golwg i ddeillion,
i beri i'r gorthrymedig gerdded yn rhydd,
i gyhoeddi blwyddyn ffafr yr Arglwydd.'

Ein gweddi yw ar i ninnau, aelodau Eglwys Iesu Grist, barhau'r gwaith a gychwynnwyd ganddo, a hynny o fewn ein cenedl a'n bröydd ein hunain, ond gan estyn allan ein llaw a'n calon at Gristnogion byd, ac at dy blant yn eu hangen a'u hadfyd ym mhob man. Ymbiliwn am gymorth yr Ysbryd, a ddaeth mewn nerth i argyhoeddi ac ysgogi'r Eglwys yn ei chenhadaeth fore, i'n harwain ninnau yn ein hymgais i ledu terfynau'r deyrnas yn ein plith. Boed ein heglwysi'n ffyddlon i'w Harglwydd, a'u clust yn ddigon tenau i glywed cymhellion dy Lân Ysbryd:

Heb nawdd na nerth, ond tarian ffydd,
A chledd yr Ysbryd Glân,
Byth boed rhinweddau angau'r groes
O'i chylch yn fur o dân.

103

O! Dduw, tosturia wrth Gymru, a dwg ei phobl, mewn edifeirwch, i blygu i'th wasanaeth. Maddau inni ein swildod i arddel enw ein Harglwydd yn ein bywyd ac yn ein gwaith, a thro ein petruster yn hyder, nid ynom ni ein hunain, ond yng ngallu Iesu Grist i drawsffurfio ein bywyd, a'n llunio yn greadigaeth newydd ar ei ddelw ei hun.

Ti, Arglwydd Dduw, sydd yn dy Lân Ysbryd yn hollbresennol, bydd ym mhob rhyw fan lle y mae dy blant yn eu gwendid yn ymbil am nerth, yn eu hunigrwydd yn deisyf am dy gwmni, ac yn eu heuogrwydd yn gofyn am dy faddeuant. Gofynnwn hyn yn enw Iesu Grist dy Fab, a'n dysgodd, wrth weddïo, i ddweud, **Ein Tad . . .**

Amen.

Emyn

> Tyred, Ysbryd yr Anfeidrol
> O'r gogoniant pur i lawr;
> I weithredu'n anorchfygol
> Ar galonnau myrdd yn awr;
> Difa rym yr anawsterau
> Sydd ar ffordd dy blant o hyd,
> Dryllia'n chwilfriw y cadwynau
> Sy'n caethiwo plant y byd.

Dewi Môn

Pregeth
I Thesaloniaid 1:5: 'Nid ar air yn unig y daeth yr Efengyl yr ydym ni yn ei phregethu atoch, ond mewn nerth hefyd, ac yn yr Ysbryd Glân, a chydag argyhoeddiad mawr.'

Fel gweddill llythyrau'r Testament Newydd, llythyr gan bregethwr at ei gynulleidfa yw hwn. Ac mae un peth y mae'n rhaid i bob pregethwr gael ei wybod gan ei gynulleidfa. Pan fo'r pregethwr wrth ei dasg, beth y mae'r gynulleidfa yn ei glywed? Ai geiriau'n unig? Oherwydd – fel sydd wedi'i ddweud lawer gwaith – 'dyw geiriau moel ddim yn ddigon. Mae yna adegau pan fo geiriau'n ddiffygiol, yn cael eu herthylu yn y broses o gael eu bwrw dros wefus. Yn wir, mae gennym ddameg Iesu Grist yn garn dros gredu mai canran fechan o'r had sy'n syrthio i dir da.

Meddylier, er enghraifft, am Morgan Llwyd, y gŵr a lefarodd ac a ysgrifennodd gynifer o eiriau, yn dweud rhywbeth fel hyn: 'Oferedd yw printio llawer o lyfrau; blinder yw cynnwys llawer o feddyliau; peryglus yw dywedyd llawer o eiriau, a ffolineb yw ceisio ateb holl resymau dynion, ond, O! ddyn, cais di adnabod dy galon dy hun a mynd i mewn drwy'r porth cyfyng.'

A beth am Gristnogion Cymru, heddiw? 'Rŷm ni wedi gwrando ar filiynau o eiriau, yn emynau, a darlleniadau, a gweddïau a phregethau, ond ydi'r geiriau hynny wedi dwyn ffrwyth yn ein bywyd? Wrth gwrs, mae hon yn hen gwyn; mae o leiaf cyn hyned â dyddiau Jeremeia, oherwydd fe'i cafwyd ar ei wefusau yntau:

> 'Onid oes balm yn Gilead? Onid oes yno ffisigwr? Pam ynteu nad yw briw merch fy mhobl yn gwella?

Er ei fod ef ei hun yn rhan o'r broses o ddwyn y gair o'r glust i'r galon, 'does neb yn sylweddoli diffyg effeithiolrwydd geiriau yn well na'r pregethwr ei hun, 'y gŵr bach di-nod,' chwedl Calfin, 'a godwyd o'r llwch i lefaru gair Duw'. Onid eglwysi wedi blino ar y geiriau yw eglwysi Cymru? Ac efallai mai clefyd ein hoes ni yw hwn, oherwydd yn ddiweddar fe alwodd arweinwyr Eglwys yr Alban am bregethu mwy perthnasol, mwy bywiog, a llawer byrrach. Ac ymateb Elfed ap Nefydd Roberts i hynny oedd, 'Erbyn hyn, mae unrhyw un a feiddiai draethu'n hwy nag ugain munud yn debygol o gael ei gyhuddo o fethu â gwahaniaethu rhwng amser a thragwyddoldeb'!

'Rwy'n siwr y cytunwch chi, serch hynny, nad wrth ei hyd y mae mesur pregeth. Gall *'sermonette'* chwarter awr fod yn ddiflastod pur, a gall pregeth hanner awr fynd heibio fel gwlith y bore. Mae hynny'n dwyn i gof ddisgrifiad Ernest Raymond o'r bregeth fwyaf effeithiol a glywodd erioed. 'Yn feddyliol,' meddai, ''roedd yn bregeth ddigon dibwys, wedi ei gwisgo'n garpiog; ei saernïaeth yn wallus, ei chyflwyniad yn wael. Ond,' meddai Raymond, ''rwy'n credu i'r pregethwr siarad am awr, a 'symudodd neb ohonom o'i sedd, ac 'roedd y mwyafrif ohonom yn dawel iawn y noson honno.'

*   *   *

Y dasg ddewinol sy'n wynebu eglwysi Cymru yw'r dasg o roi bywyd yn y geiriau. Sut y mae goresgyn marweidd-dra a chynefindra ein haddoliad? Sut y mae troi sylwedyddion yn addolwyr, a throi Cristnogion hiraethus am ddoe yn bobl ddisgwylgar ac anturus? Neu, chwedl Eseciel gynt, sut y mae rhoi 'anadl einioes' mewn 'esgyrn sychion'?

105

Yn y dyddiau crin hyn, gall y dasg ymddangos yn amhosibl. Ond yn nyfnder y galon fe wyddom ei bod yn bosibl. Posibl? Mae'n fwy na phosibl! Gynt, yn y blynyddoedd ir, fe ddaeth y geiriau'n fyw. Rhoddwyd hyder i'r di-hyder; daethpwyd ag eglwys y 'ghetto' allan i'r briffordd. 'Roedd y genadwri'n cyrraedd calonnau dynion, crediniol ac anghrediniol, fel ei gilydd. A'r cyfan oherwydd bod 'yr Awel wedi chwythu dynion a Duw ynghyd,' chwedl un o'n pöetau ni ein hunain.

Ai profiad unwaith-ac-am-byth oedd y profiad hwnnw? 'Roedd Paul yn gwbl bendant mai'r ateb i'r cwestiwn hwnnw oedd 'Na'. Holl ergyd adnod fy nhestun yw bod Paul yn argyhoeddedig fod y profiad Pentecostaidd yn gallu cael ei ailadrodd. Mae'n dwyn i gof y Thesaloniaid fod hynny wedi digwydd yn eu hanes nhw: '. . . nid ar air yn unig y daeth yr Efengyl yr ydym ni yn ei phregethu atoch, ond mewn nerth hefyd, ac yn yr Ysbryd Glân, a chydag argyhoeddiad mawr'.

Os rhoi anadl einioes mewn esgyrn sychion yw ystyr y profiad Pentecostaidd, onid yw'n brofiad ailadroddwyd droeon yn hanes ein gwareiddiad ni? Yn ei bregeth enwog ar y testun, 'Efe a wnaeth o un gwaed bob cenedl o ddynion', fe aeth J.E. Daniel ati i grynhoi rhai o binaclau'r profiad hwnnw i'r hyn yr oedd ef yn ei alw'n 'Bentecost tragwyddol'. Ac meddai: 'Credwn, yn y Pentecost tragwyddol, y bydd Bernard yno, yn canu ei *Jesu, dulcis memoria,* a Luther ei *Ein feste Burg ist unser Gott,* a Watts ei *When I survey the wondrous cross,* a Phantycelyn ei *Iesu, Iesu, 'rwyt ti'n ddigon,* heb i Bernard anghofio'i Ladin, na Luther ei Almaeneg, na Watts ei Saesneg, na Phantycelyn ei Gymraeg a heb i hynny rwystro mewn unrhyw fodd gynghanedd eu cyd-ddeall a'u cyd-ganu.'

I ddisgrifio'r profiad Pentecostaidd, defnyddiodd Llyfr yr Actau symbolau egni: gwynt a thân. Mae hynny ynddo'i hun yn awgrymog, o gofio mai eglwysi di-egni, wedi colli eu dynamiaeth yw eglwysi Cymru heddiw, yn fynych—er nad yn ddieithriad, diolch i Dduw am hynny. Ond mae yna filoedd o aelodau eglwysig ar draws Cymru nad oes ganddyn' nhw ddim egni i addoli, heb sôn am yr egni i genhadu.

Yn ei sgwrs liw nos â Nicodemus, fe ddechreuodd Iesu drafod symbolaeth y gwynt 'sy'n chwythu lle y myn, ac yr wyt yn clywed ei sŵn, ond ni wyddost o ble y mae'n dod nac i ble y mae'n mynd'. Ond os oedd Nicodemus wedi deall symbolaeth y gwynt, mae peryg fod symbolaeth yr enedigaeth newydd yn ormod o goflaid iddo. Trafferth Nicodemus, fel llawer ohonom, oedd ei fod mor brennaidd o lythrennol wrth ddirwyn edafedd geiriau Iesu . . . 'Sut y gall dyn gael ei eni ac yntau'n hynafgwr? A yw'n bosibl, tybed, iddo fynd i mewn eilwaith i groth ei fam a chael ei eni?' Druan o Nicodemus: sut yn y byd y gallai fod wedi deall, gyda'i lythrenoliaeth brennaidd, mai sôn yr oedd Iesu am brofiad oedd mor radical fel mai'r unig ddarlun a wnâi gyfiawnder ag ef oedd y darlun o 'enedigaeth newydd'? Gwyn fyd na ddeuai eglwys Cymru i ddirwyn edafedd syniad mor radical â hynny!

*   *   *

Yn ei lyfr, bach ei faint, trwm ei sylwedd, *'Trosom Ni',* eglurodd yr awdur, Isaac Thomas, mai un o ffrwythau amlycaf yr Ysbryd Glân ym mywyd yr Eglwys Fore oedd yr ymdeimlad o *berthyn,* o weithredu *ar-y-cyd.* A bu'r awdur, ysgolhaig y grib fân, yn lloffa ym maes Epistolau Paul, gan ddod o hyd i nifer o eiriau, rhai ohonyn' nhw yn eiriau yr oedd Paul ei hun wedi eu bathu, sy'n rhoi mynegiant i'r ymdeimlad o wneud popeth ar-y-cyd. Gwrandewch ar rai ohonyn' nhw: *'cydweithio', 'cydetifeddu', 'cydaelodau', 'cydogoneddu', 'cyd-dystiolaethu', 'cyd-adeiladu', 'cydgynorthwyo'.* Oes angen dyfynnu rhagor?

Ac meddai'r awdwr, nid o *fewn* yr eglwysi yn unig y cafwyd yr ymdeimlad hwn, ond ar *draws* yr eglwysi, yn eu perthynas â'i gilydd. Nid nad oedd digon o wahaniaethau rhyngddyn' nhw a allasai beri rhwyg. 'Roedd eglwys Jerwsalem, ar y naill law, yn hŷn, ond eglwysi Macedonia, ar y llaw arall, yn iau; eglwys Jerwsalem yn Iddewig, ac Aramaeg ei hiaith, eglwysi Macedonia yn Genhedlig a Groeg eu hiaith; eglwys Jerwsalem yn eglwys dlawd, ac eglwysi Macedonia yn ddigon cysurus eu byd. Ond fe lwyddodd yr Ysbryd Glân i bontio pob gagendor, rhwng hen ac ifanc, Iddew a Chenedlddyn, tlawd a chyfoethog. Pan fu newyn yn Jwdea, a Christnogion Jerwsalem mewn enbydrwydd, pwy feddyliech chi a ddaeth i'r adwy? Pwy arall ond eglwysi Macedonia, gan 'roi yn ôl eu gallu, a'r tu hwnt i'w gallu, a hynny o'u gwirfodd eu hunain, gan ddeisyf arnom yn daer iawn,' meddai Paul, 'am gael y fraint o gyfrannu'.

Mor wahanol yw'r profiad o ddiffyg cymdeithas ambell eglwys gyfoes. Mae'n ymddangos fod hynny'n wir am Gymru ac am ambell fan arall ar wahân i Gymru. *'I've come away from meetings,'* meddai Archie Craig, yn nhermau ei enwad ef, *'feeling desperately lonely and starved . . . I wonder if somehow or other "fellowship" in the church isn't*

107

sometimes the contiguity of marbles in a bag, touching minimally within a surrounding emptiness.'

Ai dyna a ddaw â ni at ein gilydd, nid yn unig fel aelodau o eglwysi unigol, ond hefyd fel eglwysi o wahanol enwadau a thraddodiadau yng Nghymru: nid argyfwng oes, na diffyg arian, na phrinder arweinwyr, na strwythur newydd, na chynllun uno sy'n bopeth i bawb, ond ein bod ni i gyd, yn ordeiniedig a lleyg, a'n strwythurau a'n cynlluniau, yn cael ein bedyddio â Bedydd yr Ysbryd Glân?

Nid llawer yn eglwysi Cymru sy'n cofio llosgi tân mawn. Y drwg gyda hwnnw oedd ei fod wrth fudlosgi, yn gallu creu'r argraff ei fod wedi diffodd. Mae gen i gof plentyn am f'ewyrth Rhys yn mynd i lawr ar ei liniau ar y mat rhacs o flaen y lle tân, ac yn gafael yn y fegin, ac yn megino'r tân, yn araf-amyneddgar ar y dechrau, ac yna'n fwy nerthol, nes byddai ambell dafod gwahanedig o dân yn dechrau codi o'r grat.

'Fyddai ddim yn ddrwg o beth i ninnau fynd ar ein gliniau ar 'fat rhacs' ein hedifeirwch, a deisyf ar yr Ysbryd Glân i fegino'r marwydos yng Nghymru, fel y gwnaeth W.J. Gruffydd gynt, ar ddiwedd ei gerdd *'Cathl i'r Ysbryd Glân'*

> Y tân a roddaist ar ein hallor gynt
> Sy'n marw yn nharth y nos annedwydd, hir;
> O tyred unwaith eto, nefol Wynt,
> A chwyth y fflam yn eirias, ac yn glir.
> Arglwydd, gwêl Gymru, ac aberth arall ger dy fron,
> Gobaith, a chalon lân, a ffydd a newydd gân —
> Arglwydd, gwêl Gymru, ac na wrthod hon.
>   Amen.

Emyn
> Ysbryd Glân, Golomen nef,
>   Gwrando'n rasol ar ein llef:
> Aethom yn wywedig iawn,
>   Disgyn yn dy ddwyfol ddawn.
>   *Roger Edwards*

Y Fendith

Rhaid i chwi, gyfeillion annwyl, eich adeiladu eich hunain ar sylfaen eich ffydd holl-sanctaidd, a gweddïo yn yr Ysbryd Glân; cadwch eich hunain yng nghariad Duw, gan ddisgwyl am i'n Harglwydd Iesu Grist yn ei drugaredd, roi ichwi fywyd tragwyddol. A gras ein Harglwydd Iesu Grist, a chariad Duw a chymdeithas yr Ysbryd Glân a fyddo gyda ni oll.

Amen.

'ONI THOSTURIAF FINNAU WRTH NINEFE, Y DDINAS FAWR?

Y Sul Cenhadol

Brawddegau
'Meddai Iesu wrthynt, "Fel hyn y mae'n ysgrifenedig: fod y Meseia i ddioddef, ac i atgyfodi oddi wrth y meirw ar y trydydd dydd, a bod edifeirwch, yn foddion maddeuant pechodau, i'w gyhoeddi yn ei enw ef i'r holl genhedloedd, gan ddechrau yn Jerwsalem. Chwi yw'r tystion i'r pethau hyn".'

Emyn
>Yr Iesu a deyrnaso'n grwn
> O godiad haul hyd fachlud hwn;
>Ei deyrnas â o fôr i fôr,
> Tra fyddo llewyrch haul a lloer.

Isaac Watts (cyf. Dafydd Jones)

Darlleniad
>Jona 3:1-6 a 4:1-11

Emyn
>Fry yn dy nefoedd, clyw ein cri,
>Pob gras a dawn sydd ynot Ti;
>Nac oeda'n hwy dy deyrnas fawr,
>O! Dduw ein Iôr, pâr lwydd yn awr.

Eifion Wyn

Gweddi
Clodforwn Di, O! Arglwydd, am ganiatáu inni ymuno gyda'r Eglwys a ymledodd hyd eithafoedd y ddaear, i'th addoli, a'th gyfarch yn Dad, fel y'n dysgwyd gan dy Fab Iesu Grist. Gyda Christnogion byd, deuwn atat i'th gydnabod, gan sancteiddio dy enw, a chan weddïo ar i'th ewyllys gael ei gweithredu ar y ddaear.

Rhown ddiolch i ti am y rhai a fu'n gyfrifol am ddwyn yr Efengyl i'n cenedl ni, ganrifoedd yn ôl, ac am bawb sydd wrthi ar hyn o bryd yn lledu terfynau dy deyrnas ym mhob rhan o'n byd. Cofiwn, yn arbennig, am y rhai sy'n llafurio'n ddiarbed mewn mannau anodd a pheryglus, heb gyfrif y gost, gan ymhyfrydu yn yr uchel fraint o gael dwyn yr Efengyl i fannau anghysbell daear. Rho nerth a gwroldeb iddynt i goncro anawsterau, i oresgyn peryglon ac i ddiystyru gwg.

Gweddïwn dros y rhai hynny, o fewn ein cenedl ninnau, sy'n dystion i Iesu Grist dy Fab, ac yn ymroi i fyw fel disgyblion teyrngar iddo, er gwaethaf pob difrawder ac anawsterau'r dydd. Cadw ni'n ffyddlon i'r weledigaeth fod dy gyfarch di yn Dad yn golygu trin ein gilydd fel brodyr a chwiorydd. A bydded inni gofio'r urddas a roes Iesu Grist ar bawb o'th blant, heb ddiystyru'r tlawd a'r gwan, y difreintiedig a'r di-lais, ond yn hytrach eu hymgeleddu a'u caru.

O! Arglwydd Dduw, gweddïwn dros eglwysi Cymru, ar i ti lwyddo eu hymdrech o blaid dy deyrnas. Cadw eu meddwl yn unplyg, eu calon yn gynnes, eu cydwybod yn effro a'u hewyllys yn ddarostyngedig i'th wasanaeth. Pan fo digalondid yn eu llethu dyro iddynt olwg newydd ar Berson a bywyd Iesu Grist ein Harglwydd.

Cymhwysa ni i'th wasanaeth, O! Arglwydd, gan fwrw heibio ein pechodau yn erbyn dy Lân Ysbryd, fel y byddwn yn genhadon buddiol drosot. Adnewydda ni, yn dy drugaredd, fel bo eraill yn cael eu denu i rannu cymdeithas â ni yn yr Efengyl. Derbyn ein heiriolaeth ar ran dy Eglwys, gan ofyn hyn yn enw Iesu Grist ein Harglwydd a'n Gwaredwr, a'n dysgodd i weddïo, gan ddweud, **Ein Tad . . .** Amen.

Emyn

> O! na foed ardal cyn bo hir,
> O'r dwyrain i'r gorllewin dir,
> Na byddo'r iachawdwriaeth ddrud
> Yn llenwi cyrrau'r rhain i gyd.

W. Williams

Pregeth

Jona 4:11: 'Oni thosturiaf finnau wrth Ninefe, y ddinas fawr, lle y mae mwy na chant ac ugain o filoedd o ddynion sydd heb wybod y gwahaniaeth rhwng y llaw chwith a'r llaw dde?'

Mae'n rhaid cyfaddef fod ein triniaeth ni o Lyfr Jona wedi bod braidd yn annheilwng. Pe baech chi'n cynnal pôl piniwn ynghylch gwybodaeth pobl o'r Beibl, ac yn digwydd holi am gynnwys Llyfr Jona, mae'n siwr

111

mai'r ateb a gaech chi amlaf fyddai'r cyfeiriad niwlog at Jona a'r morfil — er nad yw'r gair 'morfil' ddim yn digwydd yn y llyfr. Os bu llyfr erioed yr oedd eisiau achub ei gam, Llyfr Jona yw hwnnw. Yr eironi yw ein bod ni wedi caniatáu i un o lyfrau mwyaf hynod yr Hen Destament gael ei drin fel jôc ar lafar gwlad.

Hynodrwydd y llyfr yw ei fod yn cynnig golwg ar gymeriad Duw oedd yn eithriadol iawn yn hanes cenedl Israel ar y pryd. Argyhoeddiad dwfn awdur Llyfr Jona oedd fod gan Dduw genadwri a fwriadwyd nid yn unig ar gyfer cenedl yr Iddew, ond, yn ogystal, ar gyfer cenedl a phobloedd y tu allan i diriogaeth Israel. Yr hyn a geir yn llyfr Jona yw trywydd newydd i genadwri'r proffwyd a'r genadwri honno'n ymestyn yn lletach na ffiniau'r genedl.

Mae'r trywydd newydd yn cael ei nodi yn yr adnod gyntaf yn deg: 'Daeth gair yr Arglwydd at Jona fab Amitai, a dweud, Cod, dos i Ninefe, y ddinas fawr, a llefara yn ei herbyn; oherwydd daeth ei drygioni i'm sylw.' Sylwer, Ninefe, o safbwynt yr Iddew, oedd y ddinas fawr, y ddinas ddrygionus. O ran ei maint, fe ddywedir fod ynddi 'fwy na chant ac ugain o filoedd o ddynion', a'i bod yn cymryd tridiau i gerdded o'r naill ben i'r llall i'r ddinas. Go brin y gellir haeru ar unrhyw sail gadarn, fod Ninefe, mwy nag unrhyw ddinas arall, yn fwy pechadurus nag unrhyw gymuned arall o bobl. Ond, yn anffodus, mae'r 'ddinas' wedi ei chysylltu ym meddyliau pobl, mewn modd hollol annheg, â throsedd ac anfoesoldeb ac anghyfraith. Ac mae hynny'n galw i gof 'Ddinas Distryw' John Bunyan, 'Dinas Dihenydd' Elis Wynne o'r Lasynys, a 'Dinas Seciwlar' ein cyfnod ninnau.

Ffordd liwgar awdur Llyfr Jona o ddisgrifio drygioni Ninefe oedd dweud fod ynddi fwy na chant ac ugain o filoedd o ddynion a oedd 'heb wybod y gwahaniaeth rhwng y llaw chwith a'r llaw dde'. I'r Iddew 'roedd y llaw dde yn cynrychioli popeth daionus a dyrchafol, a'r llaw chwith yn cynrychioli popeth drygionus ac anfoesol. Fe gofiwn am y brenin hwnnw yn un o ddamhegion Iesu Grist yn didoli'r cenhedloedd, fel y byddai bugail yn didoli'r defaid oddi wrth y geifr: y defaid ar y llaw dde, a'r geifr ar y llaw chwith iddo. Yr awgrym digamsyniol, felly, oedd mai dinas anfoesol oedd Ninefe, heb wybod y gwahaniaeth rhwng daioni a drygioni.

*　　*　　*

Y comisiwn a roddwyd i Jona gan Dduw, felly, oedd y comisiwn i achub dinas oedd y tu allan i diriogaeth ei genedl ei hun, ac a oedd yn ddiarhebol am ei drygioni. Ef oedd y proffwyd, cennad Duw, llatai'r Hollalluog, ac 'roedd ei enw'n gweddu i'w dasg, oherwydd ystyr 'Jona' yw 'colomen', a thasg y 'golomen' hon oedd gwaredu'r ddinas: 'Cod, dos i Ninefe, y ddinas fawr, a llefara yn ei herbyn; oherwydd daeth ei drygioni i'm sylw'.

Y frawddeg y byddech chi'n ei disgwyl nesaf fyddai rhywbeth tebyg i hyn: 'A Jona a gyfododd, ac a aeth i Ninefe, yn unol â gorchymyn yr Arglwydd'. Duw'n comisiynu; y proffwyd yn ymateb; yna'r cyhoeddiad: 'Fel hyn y dywed yr Arglwydd' —dyna'r patrwm arferol. Ond nid felly'r tro hwn. Yn hytrach, yr hyn a geir yw: 'Ond cododd Jona i ffoi oddi wrth yr Arglwydd i Tarsis'. Yr hyn 'rŷm ni'n ei ddisgwyl yw hanes proffwyd yn ufuddhau; yr hyn a geir yw hanes proffwyd yn ffoi, ac yn ffoi, sylwer i fan a oedd am y pegwn eithaf â'r ddinas yr oedd Duw am iddo fynd iddi. 'Roedd Ninefe i'r Dwyrain; fe aeth Jona i'r Gorllewin, i gyrion eithaf y Môr Canoldir, i'r man yr oedd un arall o broffwydi Israel wedi ei restru gyda'r 'ynysoedd pell na chlywsant sôn am Dduw, na gweld ei ogoniant'. 'Allai Jona ddim fod wedi dianc ymhellach oddi wrth y comisiwn dwyfol; 'roedd yn union fel pe bai am fynd y tu hwnt i gylch dylanwad Duw yn llwyr.

Os bu enigma o broffwyd erioed, Jona, y negesydd anfoddog, oedd hwnnw. Mae un sylwedydd o Sais wedi cyfeirio ato fel *'anti-prophet'*. Dyna'r un elfen ag a geir yn y gair Saesneg: *'Antichrist'*, a drosir i'r Gymraeg fel 'Anghrist'. Yr 'Anghrist' yn Llyfr y Datguddiad yw'r un sydd mor debyg i Grist nes ein harwain ni i gredu mai ef yw'r Crist. Ond y gwir amdani yw mai parodi dieflig o Grist yw'r *'Antichrist'*. A Jona, meddir yw'r *'anti-prophet'* —y gwrth-broffwyd, sef yr un sy'n ymddangos yn rhith proffwyd, ond sy'n ddiffygiol yn yr union beth sy'n rhoi arbenigrwydd i'r gwir broffwyd, sef ei barodrwydd i ufuddhau i'r comisiwn dwyfol: 'Daeth gair yr Arglwydd at Jona . . . "Cod, dos i Ninefe a llefara yn ei herbyn . . ." ' Ond cododd Jona i ffoi oddi wrth yr Arglwydd i Tarsis.'

Y cwestiwn sy'n gweiddi am gael ei ateb yw 'Pam?' Pam nad ufuddhaodd Jona i'r comiswn dwyfol? A'r un cwestiwn yn union sy'n gweiddi am gael ei ateb heddiw: pam y mae'r Eglwys mor anfoddog i gydio yn ei thasg broffwydol, a mentro i ganol y ddinas seciwlar i weini a thystio a chenhadu? Beth yw'r gwir reswm am syrthni cenhadol eglwysi Cymru?

Byddai rhai am awgrymu mai'r rheswm dros ein hanufudd-dod yw'r ymdeimlad o fod yn annigonol ar gyfer y dasg. Mae ymesgusodi ar sail diffyg cymhwyster yn rhywbeth y gallwn ni i gyd ei ddeall. Mae sawl enghraifft o hynny yn y Beibl: Moses yn pledio nam ar ei leferydd, neu Jeremeia yn pledio ei fod yn ifanc a dibrofiad. Ac mae pob gweinidog yn gwybod am bobl sy'n ymesgusodi ar sail diffyg cymhwyster – er na byddai'r gweinidog ddim wedi gofyn iddyn' nhw yn y lle cyntaf oddieithr iddo gredu bod ganddyn' nhw'r cymhwyster. Ydych chi wedi meddwl rywdro gymaint tlotach fyddem ni pe bai'r byd a'r betws wedi rhoi clust i'r math hwn o ymesgusodi? Byd heb Foses, fyddai hwnnw; byd heb Jeremeia; a byddai eraill o'r cewri'n eisiau pe bai rhywrai wedi rhoi clust i'r ymesgusodi sy'n pledio, 'Mae'n flin gen i, 'dwy'i ddim yn gymwys'. Trwy drugaredd, nid y person ei hunan yw'r barnwr gorau o'i gymhwyster.

A beth bynnag, *cael* ei gymhwyso ar gyfer ei dasg y mae'r unigolyn, yn fynych. Roedd hynny'n wir am Moses: 'Ond gofynnodd Moses i Dduw, "Pwy wyf fi i fynd at Pharo ac arwain meibion Israel allan o'r Aifft?" Dywedodd yntau, "Byddaf fi gyda thi . . .".' A'r un modd yn hanes Jeremeia: 'A dywedais innau, "O Arglwydd Dduw, ni wn pa fodd i lefaru, oherwydd bachgen wyf fi.' Ond dywedodd yr Arglwydd wrthyf . . . "Paid ag ofni o'u hachos, oherwydd yr wyf fi gyda thi i'th waredu".' Gall Moses neu Jeremeia, ar eu pen eu hunain, deimlo'n annigonol yn fynych, ond gyda Duw o'u plaid i'w cymhwyso mae'n stori bur wahanol.

*   *   *

Mae lle cryf i gredu mai rhywbeth arall oedd yn poeni Jona. Nid diffyg yn ei ymdeimlad o gymhwyster a'i rhwystrodd rhag mynd i Ninefe, ond diffyg yn ei ddiwinyddiaeth, neu ddiffyg yn ei ddealltwriaeth o gymeriad Duw.

Ac yntau wedi ceisio dianc o gyrraedd Duw, mae Jona (a dyma swyddogaeth y 'pysgodyn mawr' yn y stori) yn cael ei ddwyn yn ôl i'r man lle'r oedd ar y dechrau: hynny yw, wyneb yn wyneb â'r comisiwn dwyfol. Oherwydd 'dyw'r comisiwn hwnnw ddim wedi newid: 'Yna daeth gair yr Arglwydd at Jona yr eildro, a dweud, "Cod, dos i Ninefe, y ddinas fawr, a llefara wrthi y neges a ddywedaf fi wrthyt".'

Y tro hwn, fe ufuddhaodd Jona i orchymyn Duw, a rhybuddio trigolion Ninefe, oddieithr iddyn' nhw edifarhau, nad oedd dim i'w ddisgwyl ond barn Duw. Ac fe ddigwyddodd un o wyrthiau gras Duw: fe edifarhaodd y ddinas mewn sachliain a lludw. Byddech chi'n disgwyl y byddai Jona wrth ei fodd. Pa broffwyd yng Nghymru na fyddai'n llawenhau wrth weld un stryd yn edifarhau, neu un teulu, heb sôn am ddinas gyfan? Yn wir, onid oes sôn am lawenydd yn y nef am un pechadur a edifarhaodd? Ond, meddai'r croniclydd, 'Yr oedd Jona'n anfodlon iawn am hyn, a theimlai'n ddig'.

Dyma ni wedi dod at graidd stori Jona: Jona'r proffwyd enigmataidd, sy'n ddig nid am nad oedd trigolion Ninefe *ddim* wedi edifarhau, ond am eu bod nhw *wedi* edifarhau. Fe gymer hyn dipyn o ddyfeisgarwch i'w egluro! Ond gwrandewch ar ymresymiad Jona: 'Yn awr, Arglwydd, onid hyn a ddywedais pan oeddwn gartref? Dyna pam yr achubais y blaen trwy ffoi i Tarsis. Gwyddwn dy fod yn Dduw graslon a thrugarog, araf i ddigio, mawr o dosturi, ac yn edifarhau am ddrwg.' Yr un peth na fedrai Jona ddim mo'i dderbyn oedd y posiblrwydd y gallai trigolion y 'ddinas seciwlar' — os caf i ei galw'n hynny — fod yn wrthrych trugaredd, a thosturi a maddeuant Duw. 'Roedd y syniad o roi'r ddinas seciwlar dan farn Duw yn apelio'n fawr ato, ond 'roedd dwyn y ddinas seciwlar o fewn coflaid gras Duw yn syniad oedd tu hwnt i amgyffred ei ddiwinyddiaeth.

Yn Ninefe y dysgodd Jona, a thrwyddo'r genedl Iddewig, un o wersi pwysicaf ei fywyd, *sef bod gras Duw yn cofleidio'r neb a fyn Duw, o ba genedl bynnag y bo, ac nid ni biau'r dewis, na'r dosbarthu!* Gwyn fyd na ddeuai eglwysi Cymru i gofleidio'r un genadwri. Oherwydd negeswyr anfoddog ydym ninnau hefyd; colomennod a'n hadenydd wedi'u clipio! Mae'n well gennym ddianc i ddiogelwch ein traddodiadaeth, a'n trefniadaeth, a'n rhigolau cysurus, na mentro i ganol y ddinas seciwlar.

Ydych chi'n cofio fel y mae Llyfr Jona'n gorffen? Mae'n gorffen gyda'r diweddglo mwyaf deifiol a chrafog yn y Beibl i gyd. Mae'n gadael Jona yn ei gaban neilltuedig, ar gyrion y ddinas, yn magu'i ddigofaint yn erbyn dinas Ninefe, yn poeni llawer mwy am ei gysuron effemeral ei hun, — y pethau sydd dros dro, y pethau byrhoedlog, a darfodedig — nag am dynged y ddinas. Dyna arwyddocâd y 'planhigyn' yn y stori, neu'r 'cicaion', chwedl yr hen gyfieithiad. 'Mewn noson y daeth, ac mewn noson y darfu.' A dyna lle y mae'r llyfr yn gadael Jona — yn ei gaban, o'r neilltu, gyda'r pethau darfodedig. Oes angen dweud rhagor?

Oherwydd gobaith arall sydd i'r ddinas seciwlar, sef y gobaith sydd yng ngras a thrugaredd a thosturi Duw – yr union rasusau yr oedd Jona mor amharod i'w rhannu. Gobaith y ddinas seciwlar yw bod Duw yn ei chanol hi, ac mae'r gobaith hwnnw'n cael ei gadw hyd at yr adnod olaf yn deg, sef adnod fy nhestun: 'Oni thosturiaf finnau wrth Ninefe, y ddinas fawr, lle y mae mwy na chant ac ugain o filoedd o ddynion sydd heb wybod y gwahaniaeth rhwng y llaw chwith a'r llaw dde?'

Bu'n rhaid i'r 'ddinas seciwlar' ddisgwyl am rai canrifoedd, wedi cyfnod Jona, cyn dod wyneb yn wyneb â'i Gwaredwr. Oherwydd 'yng nghyflawnder yr amser, danfonodd Duw ei Fab', a ddisgrifir fel 'un mwy na Jona', i farw dros y ddinas. Yng ngoleuni'r farwolaeth waredigol honno, pa Gristion mwyach all ganiatáu i eglwys a chapel fynd yn gaban neilltuedig ar gyfer saint sy'n chwilio am gysgod ac am lonydd?

Yr her i ni yw bod y 'ddinas seciwlar' wedi helaethu ei therfynau'n enbyd yn ystod y blynyddoedd diwethaf hyn. Mae ynddi, bellach, lawer mwy na 'chant ac ugain o filoedd o ddynion sydd heb wybod y gwahaniaeth rhwng y llaw chwith a'r llaw dde', ac fe gymer lawer mwy na thridiau i gerdded ar ei thraws! Ond na foed unrhyw gamddeall: hon yw maes ein cenhadaeth, gan mai hon yw'r ddinas y bu Crist farw drosti. Felly, allan â ni o'n cabanau neilltuedig! Mae gennym ni genhadaeth i'w chyflawni!

Amen.

Emyn

Arglwydd Iôr, fe ddisgwyl d'Eglwys
  Adnewyddiad oddi fry:
Rho i'n genau ni lefaru
  Geiriau cariad fel tydi;
Dy gomisiwn a gyflawnem
  Hyd eithafoedd daear las,
Wrth fedyddio a phregethu
  Cariad ac Efengyl gras.
              Hugh Sherlock (cyf. Hywel M. Griffiths).

Y Fendith

Ewch, gan hynny, a gwnewch ddisgyblion o'r holl genhedloedd, gan eu bedyddio hwy yn enw'r Tad, a'r Mab, a'r Ysbryd Glân, a dysgu iddynt gadw'r holl orchmynion a roddais i chwi. Ac yn awr yr wyf fi gyda chwi bob amser, hyd ddiwedd y byd. Amen.

'YM MHOB DIM RHOWCH DDIOLCH'
Oedfa Ddiolchgarwch

Brawddegau

Gwybyddwch mai yr Arglwydd sydd Dduw;
ef a'n gwnaeth, a'i eiddo ef ydym,
ei bobl, a defaid ei borfa.
Dewch i mewn i'w byrth â diolch,
ac i'w gynteddau â mawl.
Diolchwch iddo, bendithiwch ei enw.
Oherwydd da yw'r Arglwydd;
y mae ei gariad hyd byth,
a'i ffyddlondeb hyd genhedlaeth a chenhedlaeth.

Emyn

Diolchwn oll i Dduw
Â llaw a llais a chalon,
Can's rhyfeddodau mawr
A wnaeth i ni blant dynion:
Er dyddiau'n mebyd ni
A'n cynnar gamre gwan,
Di-rif yw'r doniau hael
A ddaw'n ddi-baid i'n rhan.

Martin Rinkart (cyf. J. Henry Jones)

Darlleniadau

Salm 65:9-13
Luc 12:22-31

Emyn

Am brydferthwch daear lawr,
Am brydferthwch rhod y nen,
Am y cariad rhad bob awr
Sydd o'n cylch, ac uwch ein pen,
O! Dduw graslon, dygwn ni
Aberth mawl i'th enw Di.

F.S. Pierpoint (cyf. J. Morris Jones)

117

Gweddi

Am fawr ddaioni Brenin nef
Dyrchafwn uchel glod,
Yn Hwn mae pawb o'r byd yn byw,
Yn symud ac yn bod.

Derbyn ni, yn dy drugaredd, Arglwydd, a ninnau'n dynesu at dy allor i fynegi'r diolchgarwch sydd nid yn unig ar ein gwefus, ond yn ein calon hefyd. Goruwch pob diolch arall, derbyn ein cyffes ddyledus i ti am anfon Iesu Grist i'n byd er mwyn i bob un sy'n credu ynddo ef beidio â mynd i ddistryw ond cael bywyd tragwyddol.

Dyrchafwn glod i ti am gynhaeaf y flwyddyn hon, ac am i ti ymweld â'r ddaear, a'i mwydo â chawodydd a bendithio'i chnwd, gan goroni blwyddyn arall â'th ddaioni. Rhown ddiolch i ti am ysguboriau llawn, ac am dy haelioni eleni eto mewn cnwd, a ffrwyth a chynnyrch daear. Ond cofiwn, mewn eiriolaeth ar eu rhan, y rhai hynny y methodd eu cynhaeaf, a hynny mewn sawl gwlad trwy'n byd.

O! Dduw, agor ein calonnau mewn tosturi a thrugaredd i gyfeiriad yr anghenus a'r newynog. Dilea o'n calon yr hunanoldeb a'r trachwant sy'n pentyrru bendithion y cread i'n hysguboriau ni, ar draul ysguboriau gweigion ein brodyr a'n chwiorydd yng ngwledydd tlawd ein byd. Gwna ni, yn hytrach, Arglwydd, yn gyfryngau cyfiawnder, a thegwch a thosturi.

Edrych arnom mewn trugaredd, wrth inni adolygu ein ffyrdd yn y tymor hwn o'r flwyddyn a cheisio mesur twf ein heneidiau, a'n cynhaeaf ysbrydol. Maddau inni, Arglwydd, os yw'n hysguboriau'n llawn, ond gan adael gwacter yn ein henaid. Gwyddom mai edifeirwch sy'n gweddu inni, Arglwydd, wrth gydnabod ein diffyg, a syrthio ar ein bai:

Na ddigia wrthym, Nefol Dad,
Na ddos i farn â ni;
Tosturia eto wrth ein gwlad,
A chofia Galfari.

Tymhera'n diolchgarwch, O! Dad nefol, â phryder am y tlawd a'r difreintiedig; lliniara ddioddefaint byd trwy agor ein calonnau ni mewn tosturi, trwy estyn ein llaw mewn haelioni, a thrwy nerthu'n traed i gerdded llwybr cymwynas.

Maddau, Arglwydd, inni dderbyn dy roddion yn anystyriol, a rhoi

cyn lleied yn ôl mewn diolchgarwch. Trugarha wrthym, er mwyn dy
Fab, Iesu Grist, a'n dysgodd, pan yn gweddïo, i ddweud,
    Ein Tad . . .   Amen.

Emyn

    Am y llaw agored, raslon
      Molwn heddiw Dduw y nef;
    Mor ddiderfyn yw y rhoddion
    A gyfrennir ganddo Ef!
    Ffyddlon yw y Cariad Dwyfol
      Uwch trueni euog fyd,
    Gyda llaw agored dadol
    Fyth yn llawn er rhoi o hyd.

Ben Davies

Pregeth

**I Thesaloniaid 5:18: 'Ym mhob dim rhowch ddiolch, oherwydd hyn
yw ewyllys Duw yng Nghrist Iesu i chwi.'**

Un o'r pethau hynny y mae pob rhiant gwerth ei halen yn ei wneud
wrth fagu teulu yw hyfforddi ei blentyn i ddweud 'Diolch'. Sylwch ar
y gair 'hyfforddi', oherwydd 'dyw diolch ddim yn dod yn naturiol nac
yn reddfol i wefus plentyn. Fe wnaiff plentyn estyn ei law i *dderbyn*,
ond mae'n rhaid wrth dad a mam i'w hyfforddi i roi mynegiant gwefus
i'w ddiolchgarwch.

Erbyn meddwl, mae hynny'n rhan o *faners* yr aelwyd yn ein hanes
ni i gyd. Mae sawl cenhedlaeth o blant wedi cael eu codi ar y siars 'Cofia
dy fod ti'n dweud "Diolch" bob amser!' A maes o law, fe ddaeth yn
rhan o *faners* cymdogaeth inni, ac ysgol, a swydd, a phob cylch arall.

A dyma Paul, yn adnod fy nhestun yn mynd ati i ddysgu cwrteisi i
eglwys. 'Cofiwch ddweud "Diolch" ym mhob dim,' meddai wrth yr
eglwys yn Thesalonica. 'Rwy'n cymryd oddi wrth gysylltiadau'r
adnod mai sôn am ddweud 'Diolch' wrth Dduw yr oedd Paul: 'Ym mhob
dim rhowch ddiolch, oherwydd hyn yw ewyllys Duw yng Nghrist Iesu
i chwi.'

Fe alla'i feddwl fod mwy nag un yn y gynulleidfa yn Thesalonica
wedi cloffi uwchben un cymal yng nghyfarwyddyd Paul. Byddai sawl
un wedi llyncu'i boeri wrth ddarllen yr 'ym-mhob-dim' yna. *'Ym mhob*

119

dim rhowch ddiolch': dyna gamel go anodd i'w lyncu!

Ai ceisio pwysleisio manylder diolch y Cristion yr oedd Paul? Ai awgrymu yr oedd yr Apostol fod testunau ein diolch ni yn amlach nag y mae neb ohonom ni wedi dychmygu erioed? Mae 'na fil ac un o bethau mewn bywyd y dylem ni fod yn diolch i Dduw amdanyn' nhw nad yw gwneud hynny erioed wedi croesi rhiniog ein meddwl. Ai hynny oedd ym meddwl Paul?

Ydych chi wedi sylwi fel y mae'r bardd yn gallu gweld rhyw bethau yr ŷch chi a finnau'n ddall yn eu cylch? Mae Eirian Davies, yn ei 'Salm o Ddiolch' yn mynegi ei ddyled i Dduw am ryw fendithion na fyddech chi a finnau ddim wedi meddwl amdanyn' nhw.

> Diolchwn i Ti
> Am anadl yn y ffroen bob bore
> Pan ddihuno'r corff o drymgwsg y nos.
> Diolch i Ti
> Am y dwrn ar dalcen y drws,
> Neu dinc cynnar y gloch
> Pan estynno'r postman y llythyr
> I'n llawenhau;
>
> Diolchwn i Ti
> Am wyrth y radio a'r teledu
> Sy'n hebrwng y byd eang i'n haelwyd;
> Ac am y bachgen-ysgol a gododd yn gynnar
> I chwibanu ei ffordd drwy'r cyfddydd
> O dŷ i dŷ
> I ollwng y papur a'r cylchgrawn
> Yn drystfawr trwy'r drws.
>
> Diolchwn i Ti
> Am y meddyg a phiol ei ffisig,
> Am y siopwr sy â'i silffoedd yn gymen a'i glorian yn gytbwys,
> Am ferched sy â'u bysedd buain ar ddawns dros wyddor y
>   teipiadur;
> Am feibion crefft i drwsio a llunio â llaw
> Am ysgubwr y ffordd, ac ysgwyddwr llychlyd y biniau,
> Am bawb sy'n barod i gyflawni'r beunyddiol bethau dibwys . . .

Ai dyna oedd ym meddwl Paul wrth bwysleisio 'Ym mhob dim rhowch ddiolch'? Ai eu hannog nhw i ganfod y rhagluniaeth ddwyfol yn y 'beunyddiol bethau dibwys' yr oedd yr Apostol, yn union fel 'roedd Iesu Grist o'i flaen wedi dweud fod holl wallt ein pen wedi eu cyfrif, ac nad oes dim un aderyn y to, er ei ddistadled, yn syrthio i'r ddaear heb i Dduw wybod hynny, a gofidio o'i blegid? Yn sicr, byddai gwerth i bwyslais felly, sef nad rhyw ragluniaeth gyffredinol yn codi un ymbarél mawr dros y cread yw'r rhagluniaeth ddwyfol, ond arolwg manwl Duw am ei gread, a'i ddiddordeb yn yr unigolyn yng nghanol 'beunyddiol bethau dibwys' ei fywyd.

Dyna werth oedfa ddiolchgarwch. Mae'n wir fod diolchgarwch yn elfen bwysig yn ein haddoliad, ac yn ein gweddïau drwy gydol y flwyddyn. Ond mae diolchgarwch am y cynhaeaf, gyda'i arwyddion gweladwy o 'Ragluniaeth fawr y nef' – yn llysiau, a ffrwythau, a blodau ac ysgubau – yn ein hatgoffa o'n dyled i Dduw am fanylder ei ofal trosom trwy gydol y flwyddyn. Nid rhyw landlord absen yw Duw yn arolygu bywyd ei denantiaid o bell, ond Tad sy'n gwylio dros ei blant i'w cynnal a'u cadw, ac sy'n gonsyrnol am eu ffyniant.

*   *   *

Bydd rhywrai mwy effro na'i gilydd yn siwr o ofyn, 'Beth os yw'r cynhaeaf yn methu? Beth wedyn? Ydi'r cyfarwyddyd "Ym mhob dim rhowch ddiolch" yn dal yn berthnasol?'

Wrth gwrs, fe *all* y cynhaeaf fethu; yn wir, mae wedi methu droeon cyn hyn. Mae'r proffwyd Eseciel yn sôn yn rhywle am bobl 'mewn pryder yn bwyta bwyd wrth bwysau, ac mewn braw yn yfed dŵr wrth fesur'. Mae'n go ddrwg ar bobl sy'n gorfod pwyso'u bara a mesur eu dŵr. Dyna pam y dylai pob oedfa ddiolchgarwch fod yn achlysur i atgoffa Cristnogion o'u cyfrifoldeb i rannu o'u digon ag eraill yn ein byd sy'n gorfod byw gyda chanlyniadau methiant eu cynhaeaf nhw. A dyna pam y mae llawer o eglwysi'n trefnu casgliad, yn eu hoedfaon diolchgarwch, at Gymorth Cristnogol neu ryw achos tebyg. A da hynny, oherwydd sut y gall ein diolch fod nac yn ddidwyll nac yn gyflawn heb gonsyrn am frawd a chwaer sy'n amddifad o reidiau bywyd?

Dyna neges Epistol Iago ganrifoedd lawer yn ôl:

> Os yw brawd neu chwaer yn garpiog ac yn brin o fara beunyddiol, ac un ohonoch yn dweud wrthynt, 'Pob bendith ichwi; cadwch yn gynnes a mynnwch ddigon o fwyd', ond heb roi dim iddynt ar gyfer rheidiau'r corff, pa les ydyw?

121

Protest fawr Iago oedd fod ffydd heb weithredoedd yn farw. Ac mae'r un mor amlwg fod diolchgarwch heb dosturi yn farw hefyd — yn farw gelain!

Ond a bwrw iddi fod yn flwyddyn go fain arnom ni, a'n 'cynhaeaf' wedi methu mewn mwy nag un ystyr, mae yna arwyddocâd, hyd yn oed dan amgylchiadau felly, i oedfa ddiolchgarwch. Pwy ohonom all anghofio tystiolaeth huawdl y proffwyd Habacuc, 'slawer dydd? Roedd hi wedi bod yn flwyddyn go fain arno ef, ac ar ei bobl: heb flodau ar y ffigys; heb ffrwyth ar y gwinwydd; y cynhaeaf olew wedi methu; heb fwyd i'r creaduriaid; y gorlan yn wag o ddefaid; y beudy'n wag o wartheg. Ond, er hynny i gyd, ebe'r proffwyd

> eto llawenychaf yn yr Arglwydd,
> a llawenhaf yn Nuw fy iachawdwriaeth.

Mae clywed pobl fel Habacuc yn offrymu eu gweddi o ddiolchgarwch yn codi cywilydd arnom ni. Ac ym mhob oedfa ddiolchgarwch mae sylwi ar rywrai y mae eu cynhaeaf wedi methu, yn plygu glin mewn addoliad a diolch yn brofiad sy'n ein dwyn ni i gyd at ein coed, ac yn gwneud inni deimlo'n ostyngedig iawn. Er gwaethaf eu cyni a'u helbul, eu poen a'u colled, ie, a'u profedigaeth a'u galar, maen' nhw'n ymuno â phobl Dduw mewn ffydd i arllwys eu calon mewn diolchgarwch, nes codi cywilydd ar lawer ohonom ni sy'n gyndyn i ddiolch, er inni dderbyn o ddeheulaw yr Arglwydd.

*   *   *

Yn y gwraidd, mater o ymdeimlad o ddyled yw diolchgarwch. Mae'n fynegiant ar wefus o rywbeth sydd yn y galon yn y lle cyntaf. A'r hyn sydd yn y galon yw'r argyhoeddiad mai dyledwyr ydym ni. Ond erbyn meddwl, rhai digon anfoddog wrth gydnabod dyled yw plant y ddaear. Ac ambell waith, mae modd synhwyro ein bod ni'n llai parod heddiw i gydnabod ein dyled, nag erioed. Mae plant yr oes newydd yn ei chael hi'n rhwyddach sôn am eu hawliau nag am eu dyled.

'Roedd Iesu Grist wedi neilltuo un o'i ddamhegion i sôn am hyn, sef Dameg y Ddau Ddyledwr. Dau berson go wahanol i'w gilydd oedd y rhain, y naill yn frenin, a'r llall yn was. Ond nid yn eu statws yr oedd y gwahaniaeth pennaf, ond yn y modd yr ymatebodd y ddau i'r ddyled a oedd arnyn' nhw i'w cyd-ddyn. 'Roedd y gwas yn nyled y brenin o swm aruthrol, sef deng mil talent. 'Roedd fel maen melin am ei wddf a 'doedd ganddo ddim byd i'w wneud ond ei daflu ei hun ar drugaredd y brenin. Ac fe ddigwyddodd gwyrth! 'Doedd dim gair arall i ddisgrifio'r peth! Oherwydd maddeuodd y brenin y ddyled i gyd, i'r geiniog olaf. Ond 'wyddoch chi beth wnaeth y gwas? Ac yntau'n methu credu ei lwc, fe gofiodd yn sydyn fod un o'i gyd-weision yn ei ddyled *ef* o ychydig bunnoedd. A dyma fynd ato, a gafael ynddo gerfydd ei wddf, a'i fwrw i'r carchar. A hynny am ddyled bitw o fach! Y cnaf ag ef!

Ond holl ergyd Iesu Grist, yn ei ddameg gyrhaeddgar, yw mai gweddus yw inni gofio, ni sy'n pwyntio bys cyhuddgar at y gwas anfaddeugar, fod bys Duw yn pwyntio'n gyhuddgar atom ninnau. Yn wir, ni — chi a minnau — sy'n sôn o hyd am ein hawliau, er i Dduw faddau dyled mor fawr inni, yw prif gymeriad y ddameg. A dyna pam y mae'n hwyr bryd ein bod ni'n mynd ar ein gliniau mewn diolchgarwch i Dduw. Yn wir,

> Mawr ddyled arnom sydd
>   I foli Iôr y nef,
> Wrth weld o ddydd i ddydd
>   Mor dirion ydyw Ef;
> Ein Tad yw Ef, mae'n rhoi in' faeth —
> Y flwyddyn hon ein cofio wnaeth.

Amen.

Emyn

> Pob peth, ymhell ac agos,
>   Sy'n dangos Duw i'r byd;
> Ei enw sydd yn aros
>   Ar waith ei law i gyd:
> Efe a wnaeth y seren
>   Yn ddisglair yn y nen;
> Efe a wnaeth y ddeilen
>   Yn wyrddlas ar y pren.

> Ar ei drugareddau
>   Yr ydym oll yn byw;
> Gan hynny dewch, a llawenhewch,
>   Can's da yw Duw.

Elfed

Y Fendith

I'n Duw ni y bo'r mawl,
a'r gogoniant a'r doethineb a'r diolch,
a'r anrhydedd a'r gallu a'r nerth,
byth bythoedd! Amen.

'DEILEN OLEWYDD NEWYDD EI THYNNU'
Sul Heddwch

Brawddegau

'Dewch, esgynnwn i fynydd yr Arglwydd,
i deml Duw Jacob,
er mwyn iddo ddysgu inni ei ffyrdd
ac i ninnau rodio yn ei lwybrau.
Oherwydd o Seion y daw'r gyfraith,
a gair yr Arglwydd o Jerwsalem.'
Bydd ef yn barnu rhwng cenhedloedd,
ac yn torri'r ddadl i bobloedd cryfion o bell;
byddant hwy'n curo'u cleddyfau'n geibiau,
a'u gwaywffyn yn grymanau.
Ni chyfyd cenedl gleddyf yn erbyn cenedl,
ac ni ddysgant ryfel mwyach;
a bydd pob dyn yn eistedd dan ei winwydden
a than ei ffigysbren, heb neb i'w ddychryn,
Oherwydd genau Arglwydd y Lluoedd a lefarodd.

Emyn

Efengyl tangnefedd, O! rhed dros y byd:
A deled y bobloedd i'th lewyrch i gyd;
Na foed neb heb wybod am gariad y groes,
A brodyr i'w gilydd fo dynion pob oes.

Eifion Wyn

Darlleniadau

Genesis 8:6-12
Mathew 3:13-17

Emyn

O! doed dy Deyrnas, nefol Dad,
Yw'n gweddi daer ar ran pob gwlad;
Dyfodiad hon i galon dyn
A ddwg genhedloedd byd yn un.

T. Elfyn Jones

Gweddi:

Arglwydd Dduw, a ddewisaist genedl yn grud i'th fwriadau dwyfol, ac yn llwyfan i groesawu dy Fab Iesu Grist i'n byd, er mwyn dwyn gwaredigaeth a gobaith i'th blant, derbyn ein diolch am genhedloedd y ddaear.

Dathlwn yr amrywiaeth mewn iaith a diwylliant a chelfyddyd sy'n nod amgen iddynt, ac fe'th glodforwn di am y golud a ddaeth i fywyd pawb ohonom, nid yn unig trwy ein cenedl ein hunain, ond hefyd drwy genhedloedd eraill ein byd, eu ffydd a'u cred, eu diwylliant a'u dawn, eu masnach a'u diwydiant.

Mawrhawn, O! Arglwydd Dduw, bob ymgais i ddwyn cenhedloedd byd i berthynas â'i gilydd, mewn cyd-ddealltwriaeth a chydweithrediad. Diolchwn am y cymdeithasau a'r asiantau hynny sy'n cydweithio i ddwyn heddwch a chyfiawnder i'n byd, gan ddiogelu hawliau dynol, a chreu dolennau brawdgarwch a pherthynas, a hynny er mwyn bwydo'r newynog, a diogelu hawliau'r tlawd a'r difreintiedig. Llawenhawn ym mhob gweledigaeth sy'n dyrchafu bywyd cenhedloedd unigol, a thrwy hynny, yn cyfoethogi'r byd yn gyfan.

Gweddïwn yn arbennig, heddiw, am yr asiantau hynny sy'n ddyfal eu hymdrechion o blaid heddwch, a boed i'r ymdrechion hynny ddwyn ffrwyth ar ei ganfed, gan ymlid trais a dinistr, a gorseddu yn eu lle gymod, a brawdgarwch a heddwch.

Derbyn ein heiriolaeth, Arglwydd, dros bawb sy'n dioddef o ganlyniad i ryfel a diffyg cymod. Cofiwn yn arbennig y diniwed sydd ar drugaredd y cryf arfog ym mhob oes. Cysura'r gweddwon a'r amddifaid y lladratawyd eu hanwyliaid oddi arnynt, a hynny'n fynych ym mlodau eu dyddiau. Llanw'r gwacter sydd yn eu bywyd, dosturiol Arglwydd, â'th bresenoldeb dy hun.

Arglwydd, trugarha wrthym ninnau am i gasineb gael tir ffrwythlon yn ein calon, ac am ein methiant i ddilyn esiampl Iesu Grist dy Fab mewn cymod a maddeuant:

> Am imi lynu'n llwybrau hunan-les,
> A gado 'mrawd i'w glwyfau ar y ffordd,
> A galw trechu'n rhaid gan gyrchu 'mlaen −
> O! Dduw, edifar wyf.

Clyw ein cri, a maddau'n gwrthryfel yn erbyn dy ewyllys, yn enw Iesu Grist, a'n dysgodd i weddïo, gan ddweud, **Ein Tad . . .** Amen.

Emyn

> O! Dduw, ein Craig a'n Noddfa,
> Rho nawdd i'r gwan a'r tlawd,
> Er mwyn dy annwyl Iesu
> A anwyd inni'n Frawd:
> Darostwng bob gormeswr
> Sy'n mathru hawliau dyn,
> Ac achub y trueiniaid
> A grewyd ar dy lun.
>
> *D. Miall Edwards*

Pregeth

Genesis 8:11: 'Pan ddychwelodd y golomen ato gyda'r hwyr, yr oedd yn ei phig ddeilen olewydd newydd ei thynnu.'

Mae stori Noa a'i arch yn un o'r storïau hynny yn llenyddiaeth ein byd nad yw hi fyth yn heneiddio, nac yn colli ei hapêl, a honno'n apêl ryfeddol o eang.

Fe'i hadroddwyd i blant ar hyd y cenedlaethau, ac mae'n amlwg oddi wrth y lluniau sydd ar furiau festrïoedd ein capeli, fod stori Noa yn para'n un o'r ffefrynnau.

Mae'r dramodydd, yntau, wedi gweld posibiliadau'r stori. Fe ysgrifennodd y Ffrancwr André Obey ei ddrama *'Noa'* yn y flwyddyn 1930. Ar y pryd, 'wyddai'r awdur ddim fod ein byd yn mynd i gael ei lorio gan ryfel a fyddai'n ymledu fel dilyw gan fygwth boddi gwareiddiad byd cyfan. Ond meddai Obey, gan adrodd ei brofiad yn sgîl ysgrifennu'r ddrama, 'Derbyniais gannoedd o lythyrau yn adrodd fel yr oedd yr Ail Ryfel Byd wedi rhoi ystyr cyfoes i hen stori'r dilyw'.

Mae'r cerddor yntau wedi cael ei ysbrydoli gan y stori. Aeth Benjamin Britten ati i addasu naratif llyfr Genesis a'i ddefnyddio fel thema i'w waith enwog *'Noye's Fludde'*. A synnwn i ddim nad yw'r stori'n apelio'n fawr at y cadwraethwyr, y bobl dda hynny sy'n codi eu llef o blaid gwarchod y greadigaeth. Mae'r darlun o Noa'n bugeilio'r creaduriaid fesul dau, yn wryw a benyw i mewn i'r arch er mwyn sicrhau parhad hil a rhywogaeth, yn siwr o fod yn ddarlun sydd wrth fodd eu calon. Ac oni ddylai Eglwys Iesu Grist fod ar flaen y gad yn y gwaith o warchod creadigaeth Duw? Ac nid gwarchod creaduriaid yn unig: a ninnau'n poeni am ddiflaniad rhai o rywogaethau'r *flora* a'r *fauna* oddi ar wyneb ein planed, pa faint mwy y dylem ni ofidio am yr erydu ar fywyd eglwys, a chenedl ac iaith a chymunedau?

Stori am 'gadw' yw stori Noa, felly. Ond mae'n bwysig inni ddeall beth yn union a gadwyd. Mae un peth y dylem ni fod yn gwbl eglur ein meddyliau yn ei gylch: nid yr arch a gadwyd. Beth amser yn ôl, adroddwyd mewn papur dyddiol fod un o anturiaethwyr mentrus ein cyfnod ni yn bwriadu ymddeol. 'Roedd wedi cyflawni gwrhydri mawr, oherwydd ef oedd un o'r arloeswyr ym maes anturio i'r gofod. Ond pan ofynnwyd iddo beth oedd ei gynlluniau ar gyfer ymddeol, cafwyd ateb annisgwyl ganddo. Bwriadai ymuno â thim o archaeolegwyr a mynd ar daith i Fynydd Ararat yn Armenia 'i chwilio am yr arch'. 'Chlywais i ddim, serch hynny, iddo ddod o hyd iddi, a serch dim a wn i, efallai ei fod yn dal i chwilio!

Ys gwn i a fedrwn ni ddeall ein gilydd ynghylch un peth, cyn mynd gam ymhellach? A minnau wedi dweud mai stori am gadw, ac am oroesi yw stori Noa, mae un peth yn sicr: nid yr arch a gadwyd, ac nid honno sy'n goroesi. Mae'r arch yn pydru ac yn darfod; dyna drefn 'amser swrth a'r hin, wrthi'n chwalu ac yn malu'. Oherwydd mae'r arch, fel llawer iawn eraill o bethau'n daear ni, ar drugaredd pydredd, a ffwng a henaint.

Llestr yw'r arch yn stori'r cadw, a dim mwy na hynny. Mor bwysig yw gwahaniaethu rhwng y llestr a'r hyn a gedwir ynddi! Yn araf deg, 'rŷm ni'n dysgu'r wers honno yn ein perthynas â chapeli Cymru. Mewn cyfnod pan ŷm ni'n gwario cymaint o'n hamser a'n hegni ar ein hadeiladau, ac ar y sefydliad eglwysig, y wers boenus 'rŷm ni'n gorfod ei dysgu yw mai llestr yw adeilad a sefydliad, fel ei gilydd — llestr sy'n cynnwys ffydd pobl Dduw. Mae'n graddol wawrio arnom ni mai rhywbeth dros dro yw'r llestr, y peth sy'n goroesi yw ffydd pobl Dduw.

*　　*　　*

Dyna ni wedi dod at graidd stori Noa, a'i arch: stori ffydd pobl Dduw yw hi, ac nid yng nghyfnod Noa yn unig, ond ar hyd y cenedlaethau, heb anghofio ein cenhedlaeth ni ein hunain.

Yn wir, dyma un o'r gwythiennau mwyaf trwchus yn niwinyddiaeth y Beibl. A'r enw a roir ar y wythïen yw 'Athrawiaeth y Gweddill'. Mae un Sais wedi cyfeirio at Noa a'i deulu fel *'the archetypal survivors'* — y rhai sydd wedi dod *trwy'r* dilyw, y rhai sydd wedi goroesi; neu mewn geiriau eraill, 'y gweddill'. Clywch ar gofnod Llyfr Genesis:

'Dilewyd popeth byw oddi ar wyneb y tir, yn ddyn ac anifail, yn ymlusgiaid ac adar yr awyr, fe'u dilewyd o'r ddaear. Noa yn unig a adawyd, a'r rhai oedd gydag ef yn yr arch.'

Ydych chi'n gweld y darlun yn glir? Noa a'i deulu yw'r rhai sydd wedi goroesi'r argyfwng. Y cwmni bach yn yr arch yw'r rhai sydd wedi llwyddo i farchogaeth y tonnau a dod trwy'r dilyw. Ac nid damwain mo hynny; nid hap a ffawd, nid mympwy'r duwiau, ond Rhagluniaeth Duw. Ac nid gweddill yn unig mohonyn' nhw, ond 'gweddill *cyfiawn*'. Fe'u harbedwyd nid ar gyfer eu heddiw eu hunain, ond ar gyfer yfory'r ddynolryw. Fe'u hachubwyd o'r catastroffe am fod gan Dduw fwriadau ar gyfer ei fyd drwyddyn' nhw. Er cyn lleied eu nifer, mae ganddyn' nhw, serch hynny, dasg i'w chyflawni sydd ymhell y tu hwnt i'w gallu i'w chyflawni yn eu nerth eu hunain. Ond fe gânt eu nerthu; fe roddir iddyn' nhw adnoddau fydd yn gymesur â'u tasg.

Yn wir, mae gwythïen 'Athrawiaeth y Gweddill' yn rhedeg drwy'r Hen Destament o stori Noa, ac ymlaen i'r Testament Newydd. Dyma faban bach mewn cawell yn hesg Afon Neil yn goroesi ymgais teyrn i'w ladd, am fod gan Dduw fwriad i'w gyflawni trwy'r bwndel cnawd brau ac eiddil hwnnw. Ryw ddiwrnod, byddai ef, Moses, yn herio'r teyrn, ac yn hawlio 'Gollwng fy mhobl yn rhydd', gan addo i'w bobl waredigaeth a oedd y tu hwnt i'w gallu i'w chyflawni yn eu nerth eu hunain. Dyma ddinas y caewyd amdani gan y gelyn pwerus, nes i broffwyd o'i mewn ei chyffelybu i 'gaban mewn gwinllan' a 'chwt mewn gardd cucumerau' a 'dinas dan warchae'. Yn wir meddai Eseia, y proffwyd hwnnw, 'onibai i Arglwydd y lluoedd adael i ni weddill' byddai'r ddinas honno o fewn y dim â dioddef ffawd mor ddramatig o derfynol â dinistr diarhebol dinasoedd Sodom a Gomorra. Ond 'fyddai hynny ddim yn digwydd, gan fod gan Dduw ei briod fwriadau ei hun ar gyfer Seion.

Ac oni chydiodd Iesu ei hun yn yr un math o ddarlun yn union, fwy nag unwaith, megis y tro hwnnw pan gystwyodd ei ddisgyblion a'u galw'n 'ddynion y ffydd bitw' *(oligopistoi)*? Ond 'roedd ganddo air o gysur iddyn' nhw, hefyd: 'Peidiwch ag ofni, fy mhraidd bychan,' meddai wrthyn nhw, 'oherwydd gwelodd eich Tad yn dda roddi i chwi'r deyrnas.' Fel Noa yn yr arch o bren goffer, fel Moses yn ei gawell yn yr hesg, fel Seion dan warchae, 'roedd gan Dduw ei fwriadau ei hun ar gyfer ei 'braidd bychan'!

129

'Does ryfedd yn y byd, fod rhywrai wedi gweld yn stori Noa a'i deulu yn marchogaeth y dilyw yn yr arch ddarlun o Eglwys Iesu Grist yn brwydro yn erbyn y croeswyntoedd a'r cerrynt ar hyd y canrifoedd. Er mor wan a diymadferth yw hi, 'lwyddodd holl bwerau angau ddim i gael y trechaf arni, ac 'mae hi yma o hyd'!

*   *   *

Am mai stori am 'gadw' yw stori Noa a'i arch, mae hi hefyd yn stori gobaith. A 'does dim un elfen yn y stori sy'n cyflwyno thema gobaith yn fwy grymus na'r hanes am Noa yn gollwng y golomen o'r arch 'i weld a oedd y dyfroedd wedi treio oddi ar wyneb y ddaear.'

Y tro cyntaf y gollyngwyd y golomen fe ddychwelodd i'r arch am na chafodd 'le i orffwyso gwadn ei throed'. Ydych chi, rwydro, wedi bod yng nghanol profiad sydd mor ddiobaith fel nad oes lle gan y golomen i orffwyso gwadn ei throed? Os ŷch chi, fe wyddoch chi ei bod hi'n ddrwg bryd hynny: y diwrnod pan dorrodd eich priodas; neu pan ddywedwyd wrthych chi eich bod chi ar y clwt; neu pan alwyd chi o'r neilltu i ddweud nad oedd amser hir ar ôl gan rywun oedd yn gannwyll eich llygad chi. Mae'n go dywyll bryd hynny, ac mae gobaith yn cilio; 'does dim digon o le i'r golomen orffwyso gwadn ei throed!

Ond mae stori Noa yn ein tywys ni y tu hwnt i'r profiadau hyn i gyd, at y fan lle y mae siom a thorcalon yn esgor ar obaith. Ac a fu gwell darlun o obaith erioed?

'Pan ddychwelodd y golomen ato gyda'r hwyr, yr oedd yn ei phig ddeilen olewydd newydd ei thynnu; a deallodd Noa fod y dyfroedd wedi treio oddi ar y ddaear.'

Fyth oddi ar hynny, fe afaelodd ein byd yn y darlun hwn o obaith, a'i droi'n ddarlun o gymod a thangnefedd rhwng unigolion, a theuluoedd, a chymunedau a chenhedloedd, fel nad oes angen geiriau i fynegi'r peth; mae'r darlun yn ddigon. Fe ddefnyddiodd Pablo Picasso'r darlun, gan gefnu ar ei arddull ciwbaidd a geometrig am y tro, a gosod ar gynfas amlinell foel colomen â deilen olewydd newydd ei thynnu yn ei phig – yn ddarlun huawdl o obaith. Yn wir, un flwyddyn, fe roddwyd darlun Picasso ar gardiau Nadolig un o'r cymdeithasau elusennol, ac mae'n rhaid dweud fod neges y cerdyn yn gweddu'n dda i neges yr Ŵyl: 'Gogoniant yn y goruchaf i Dduw, ac ar y ddaear tangnefedd ymhlith dynion sydd wrth ei fodd'.

130

A thros diroedd ein byd, ym mha le bynnag y mae diffyg cymod rhwng dynion, boed hynny yn hanes unigolion, neu deuluoedd, neu ynteu genhedloedd, mae'r golomen yn dal i chwilio am le i orffwyso gwadn ei throed, gan gynnig i Babydd a Phrotestant, i Serb a Chroat a Mwslim, i Arab ac Iddew, ddeilen olewydd cymod a heddwch, 'deilen olewydd newydd ei thynnu'. Ac nid damwain mae'n siwr, sy'n cyfrif fod Cynan yn un o emynau heddwch godidocaf y Cymro, wedi defnyddio'r ddelwedd o golomen fel llatai heddwch ar gyfer ein byd, ond wrth wneud hynny fe glymodd y ddelwedd â delwedd arall, eto o'r Beibl, yn union fel pe bai colomen Noa wedi ymdoddi i'r darlun o'r Golomen Ddwyfol, yr Ysbryd Glân ei hun:

> Ysbryd Duw, a fu'n ymsymud
> Dros ddyfnderau'r tryblith mawr,
> Nes dwyn bywyd a phrydferthwch
> Allan i oleuni'r wawr;
> Dros y byd a'i dryblith heddiw
> Chwŷth drachefn, O! anadl Iôr,
> Nes bod heddwch fel yr afon,
> A chyfiawnder fel y môr.
>
> > Amen.

Emyn

> Arglwydd ein bywyd, Duw ein Iachawdwriaeth,
> Seren ein nos, a Gobaith pob gwladwriaeth,
> Clyw lef dy Eglwys yn ei blin filwriaeth,
> Arglwydd y lluoedd!

> > M. Von Bowenstern (*cyf.* Thomas Lewis)

Y Fendith

> Bydded i Arglwydd tangnefedd ei hun roi tangnefedd ichwi bob amser ym mhob modd.
> Bydded yr Arglwydd gyda chwi oll!
> A gras ein Harglwydd Iesu Grist, a chariad Duw, a chymdeithas yr Ysbryd Glân, a fyddo gyda ni oll. Amen.